PROGRAMMEURS À GAGES
de Jacques Bissonnette
est le cent quatre-vingt-quinzième ouvrage
publié chez
VLB ÉDITEUR.

PROGRAMMEURS À GAGES

Jacques Bissonnette

Programmeurs à gages

roman

vlb éditeur

VLB ÉDITEUR
4665, rue Berri
Montréal, Québec
H2J 2R6
Tél.: (514) 524-2019

Maquette de la couverture:
Mario Leclerc

Photo de la couverture:
Louise De Grosbois

Traitement de texte:
Concept Informatique Appliqué enr.

Composition-montage:
Composition Technologies Inc.

Distribution en librairies
et dans les tabagies:
AGENCE DE DISTRIBUTION POPULAIRE
955, rue Amherst
Montréal, Québec
H2L 3K4
Tél. à Montréal: 523-1182
        de l'extérieur: 1-800-361-4806

Données de catalogage avant publication (Canada)

Bissonnette, Jacques
    Programmeurs à gages

    2-89005-227-3

    I. Titre

    PS8553.187P76   1986   C843'.54   C86-096109-5
    PS9553.187P76   1986
    PQ3919.2.B57P76   1986

©VLB ÉDITEUR & Jacques Bissonnette, 1986
Dépôt légal — 2e trimestre 1986
Bibliothèque nationale du Québec
ISBN 2-89005-227-3

Pour Christiane,
dans la lumière

Dès l'instant où la compétition prend connaissance de la nature de vos mesures de sécurité informatiques, vous êtes sujet à l'infiltration à plus ou moins brève échéance. D'où un principe de base de la profession: le caractère confidentiel de vos mesures de sécurité informatiques importe plus que lesdites mesures.

Buddy Johnson,
président de la Data Security

I

La Data Security

L e coup de téléphone de Buddy m'avait réveillé à
sept heures du matin. Il m'attendait au *Jœy's Beach
and Bar*, à deux milles de chez moi. Il avait déjà
commandé le petit déjeuner.

Quand j'arrivai chez *Jœy*, Buddy était déjà attablé
devant ses œufs au bacon. Il tassa un peu de côté son
porte-documents et sa mallette-téléphone afin que je
puisse m'asseoir face à lui. Le serveur me servit immédiatement, et Buddy paya sans attendre. Il avait horreur de
perdre son temps à la caisse, ne fût-ce que quelques
secondes. Comme toujours, il laissa un pourboire royal;
Buddy pratiquait le socialisme à l'américaine.

Je mastiquai mes oeufs en silence. J'avais les idées
encore trop embrouillées pour me soucier de faire la
conversation.

— Alors, Alain, comment se porte la vie de
vacanciers?

Je le connaissais depuis sept ans, et il prononçait
encore mon nom avec cet horrible accent rocailleux du
Middle West.

— Je garde la forme.

Buddy me sourit. C'était là le type de confidences
qu'il affectionnait: très laconiques. Les amitiés se
devaient d'être optimistes. Elles étaient tout aussi naturel-

lement profitables, c'était dans l'ordre des choses.

— Suis heureux de l'apprendre, dit-il en croquant son bacon. Mais comme je te connais, je suis certain que tu t'ennuies. J'ai un boulot à te proposer.

Je n'en fus pas surpris, j'étais à vrai dire en vacances «techniques». Je me trouvais sans contrat. Mais Buddy en trouvait toujours rapidement. Sa réputation ne cessait de s'étendre.

Buddy Johnson était président et principal action-naire de la Data Security, une petite compagnie de la côte ouest des États-Unis spécialisée dans la sécurité de systèmes informatiques. Son succès ne tenait qu'à quel-ques petites choses: il n'engageait que les meilleurs infor-maticiens sur le marché et surtout, il était d'une absolue loyauté envers qui signait le chèque. Même si cette pratique laissait beaucoup de gens sceptiques, spéciale-ment dans la Silicon Valley où tout le monde volait tout le monde, la chose avait fini par se savoir.tions. Selon toute apparence, une compagnie concurrente la talonnait d'un peu trop près dans la mise en marché de nouveaux produits.

Nous avions mis la main sur l'employé qui volait les résultats de programmes de recherches en les copiant sur bandes magnétiques. Méthode classique qui avait été rapidement contrée. Mais quelques jours auparavant, la compagnie concurrente avait approché la Data Security pour lui faire une offre qu'elle prétendait être des plus raisonnables.

Cette compagnie retirait un bénéfice substantiel de cet emprunt d'informations. Elle se disait prête à en céder une partie à condition que la Data échoue dans son enquête. C'était d'ailleurs, laissait-on entendre, l'accord qu'une compagnie précédente avait conclu. Buddy refusa tout net, mais il n'ébruita pas la chose. Buddy savait se tenir, et ce genre d'affaires se doit d'être traitée avec discrétion.

Quelques jours plus tard, nous trouvions le coupable et mettions au point un système de contrôle plus efficace quant aux fichiers d'informations sensibles et à la circulation de bandes magnétiques. L'employé passa aux aveux et fut aussitôt remercié. Naturellement, personne ne fut accusé et l'affaire fut proprement enterrée. Ce genre de compagnie tient plus que tout à sauvegarder sa réputation.

Une fois le contrat terminé, la companie concurrente embaucha la Data Security sur-le-champ avec pour mandat de superviser son système de sécurité entourant ses ordinateurs. Dès lors, la Data Security devint une entreprise en pleine expansion.

— C'est un travail en solo, dit Buddy. La compagnie cliente veut minimiser au maximum les risques de fuite.

Il déposa délicatement ses bottes de cow-boy à deux cents dollars sur la chaise d'en face et commanda une nouvelle tournée de café.

— Quelle genre de compagnie est-ce?

— Une compagnie de change, la Monnaies Transit International, installée à Montréal. Ils traitent de très grosses quantités d'argent de toute provenance et font affaire avec les agents de change des principales capitales financières. Toutes leurs transactions sont traitées par ordinateur. Leur système informatique est de premier ordre et la sécurité, très au point. Ils n'ont pas lésiné sur les mesures de protection. D'ailleurs, le contrat avait été donné à Safe General, de Boston. On peut faire confiance à ces types.

— Alors, pourquoi ne confient-ils pas leur enquête à Safe General?

— D'abord, Safe a perdu ses gros canons. John Mayer et Frank Castle ont fondé leur propre compagnie, et les gars qui restent sont excellents pour implanter des systèmes de sécurité, mais ne sont pas de taille pour une enquête de ce genre. Surtout en solo. De plus, l'année dernière, quelques fuites se sont produites au sujet d'une enquête de Safe sur une fraude dont aurait été victime une compagnie de la côte est. Le FBI s'en est même mêlé, tu imagines? Ce genre d'incident fait toujours mauvaise impression.

— Qu'est-ce qu'ils s'imaginent qu'on leur pique? De l'argent ou de l'information?

— De l'information. Il y a belle lurette que l'on peut plus arracher un cent à ce genre de compagnie. Leur système est solide, et étanche. De ce côté, les gars de Safe ont fait du bon travail. Mais ils n'ont pas de preuves, rien que des soupçons. Alors, on t'envoie en aveugle pour que tu voies s'il y a des fuites, et si oui, à toi de trouver d'où ça vient.

— Ils se doutent de ceux à qui ça profite?

— Ils affirment que non.

L'air de la mer qui s'engouffrait par les portes-fenêtres achevait de me réveiller et je trouvais cette situation de plus en plus tordue.

— Alors, on m'envoie tout seul inspecter un système, sans savoir s'il y a fuite ou non, sans savoir qui pourrait en profiter, tout ça, naturellement, dans la plus grande discrétion. Mais qu'attendent-ils donc de nous?

Buddy haussa les épaules.

— Des miracles. D'ailleurs, ils paient en conséquence. Tu devrais voir le chèque que je ramène de Montréal: il tenait à peine dans ma mallette.

Comme toujours, l'argent le rendait sentimental, car il me dit:

— De plus, t'es un petit gars de Montréal, non? C'est toujours bon de retrouver ses racines.

Je manifestai mon accord, sans plus. Buddy, lui, revenait à ses racines une fois l'an, à l'anniversaire de ses parents. Depuis la mort de sa mère, le rituel se limitait à un voyage par année.

Buddy n'aimait pas parler de lui, mais était intarissable question travail. Étant toujours très occupé, ça lui en faisait un chapitre à raconter avant d'en arriver aux confidences. Pourtant, un soir où l'alcool coulait plus vite que d'habitude et alors qu'une affaire que j'avais fait aboutir faisait se profiler de gros profits à venir, Buddy s'était laissé aller à quelques confidences sur sa jeunesse.

Il avait quitté son petit village natal du Middle West à la suite d'une affaire louche étouffée sans doute grâce à son statut de fils de bons fermiers établis dans la région depuis des temps immémoriaux. Depuis qu'ils avaient piqué la terre aux Indiens, comme il le disait. Le shérif lui avait laissé le choix entre la prison et le service militaire. Il avait choisi la deuxième formule et en avait profité pour apprendre l'électronique. «Un brave homme, ce shérif», en conclua-t-il après notre énième scotch.

Son service militaire terminé, il avait roulé sa bosse dans les sociétés d'informatique qui commençaient alors à pousser dans la Silicon Valley. Avec quelques associés, il avait fini par se lancer dans la fabrication de puces électroniques. Il s'était rapidement fait lessiver, la concurrence étant féroce dans ce domaine. Puis il s'était jeté tête première dans la fabrication de micro-processeurs, et y laissa jusqu'au dernier dollar de sa femme.

Après un pénible divorce, il avait traversé une période de profond découragement. Après avoir ruminé toutes sortes d'idées noires, comme celle de rempiler pour l'armée, il avait enfin trouvé le bon filon. Par hasard, en lisant le journal, il s'était intéressé à un fait divers: un cas de fraude par ordinateur. Buddy se renseigna aussitôt: il n'existait à peu près pas de compagnies spécialisées en sécurité informatique à cette époque. Il s'en trouvait encore moins pouvant s'intéresser au dépistage de fraudes. On laissait ça aux mains d'une brigade de la police. Les fabricants d'ordinateurs fournissaient bien de l'équipement et des logiciels pour la sécurité, mais ceux-ci s'avéraient rarement satisfaisants. Et ils laissaient au FBI le soin de pourchasser les fraudeurs. Pour une compagnie soucieuse de sa réputation et de la confidentialité de ses activités, c'était là une lacune évidente. La Data Security serait en mesure d'y pallier.

Buddy m'avait donc embauché depuis bientôt sept ans, à ma sortie de l'université Berkeley, en Californie. La Data Security existait depuis à peine un an et je venais de terminer une maîtrise sans histoire sur les systèmes de sécurité informatique. Mais j'avais déjà à mon actif deux percées du système de sécurité de l'ordinateur, l'un des plus solides de la côte ouest à cette époque.

Même si je n'avais pas osé aller trop loin, comme m'attaquer aux finances, ces entorses avaient bien failli me faire renvoyer de l'université. Naturellement, cela avait assis solidement ma réputation de *crack* auprès de mes pairs, pour qui il n'est pas de plus grand honneur que de se faire vider pour motif de surcompétence. Le fait que je sois allé étudier de très près les dossiers les plus belles filles de l'université, spécialement leur profil psychologique, et que j'aie fait profiter, sans discrimination, tous mes camarades de ces renseignements, m'avait d'ailleurs valu le titre de «plus chic type du campus pour l'année 1976», décerné par le journal des étudiants en informatique et en ingénierie.

Buddy sortit une grosse enveloppe de sa mallette.

— Avec ça, tu auras une idée générale du matériel qu'ils utilisent ainsi que des principales mesures de sécurité. Tu trouveras aussi un portrait de la compagnie, ainsi que les antécédents des principaux employés, gracieuseté du département du personnel de la Monnaies Transit. Taylor te prépare de son côté une étude plus complète de la boîte; ça peut toujours servir.

— Qui sera mon contact?

— Fenders, le président de la compagnie et du conseil d'administration. Tu auras aussi affaire à un certain Harvey, le vice-président. Tu attends sagement à l'hôtel; ils te contacteront.

— Je te tiens au courant.

— Tous les deux jours. Tu m'enverras un rapport comme on le fait d'habitude. Codé, naturellement. Si tu as besoin d'un coup de main technique, je dis bien technique, tu fais appel à l'équipe. L'entente avec le client est formelle: tu demandes de l'aide seulement pour des problèmes techniques reliés à l'ordinateur, non à l'utilisation qu'on peut faire de cet ordinateur. Personne ne doit savoir ce qu'il y a dans le ventre de cette machine, à part toi et moi.

— Eh bien, on peut dire qu'ils tiennent à leurs petits secrets.

— Pas de doute. Raison de plus pour que tu fasses attention où tu mets les pieds. Les gens qui font ce type de business n'ont pas un sens de l'humour très développé.

— Je ne connais personne qui prenne les histoires d'argent avec humour.

— Si tu en rencontres, donne-moi leur adresse, je m'arrangerai pour les plumer.

Il eut un grand sourire. Ma réplique devait lui rappeler de bons souvenirs.

— Je viendrai te voir quelquefois à Montréal, dit-il.

— Pour me donner un coup de main?

— Pas sur le plan technique, c'est ton travail. Mais ça bouge beaucoup à la Monnaies Transit ces temps-ci. Quelques gros actionnaires s'agitent, et le président du Conseil, ce Fenders, a l'air de faire peu confiance à son entourage.

— C'est un beau panier de crabes qui m'attend, dis-je.

— Je ne dis pas le contraire, mais dans tes moments de déprime, pense au chèque que nous recevrons si nous réglons leurs petits problèmes. Alors, tu acceptes le travail, oui ou non?

— Mais oui.

— Bien. Maintenant, je me sauve. J'ai un rendez-vous d'affaires dans moins d'une heure. Fenders te contactera demain à l'hôtel; ensuite nous ferons un résumé de la situation. Ça te va?

— C'est ça, à demain.

Il me serra la main, remercia le patron d'un signe de tête et sortit. J'entendis sa voiture démarrer et s'éloigner. Je demeurai un bon moment à contempler la mer qui venait mourir sur la plage.

Cette affaire était pleine de failles mais, autant le dire tout de suite, je m'en fichais. J'avais besoin de travailler, et vite. Déjà je ressentais cette lassitude, cette difficulté à respirer qui me tenaillait de plus en plus. Le scotch n'y changeait rien, encore moins les sorties avec les amis dans les bars bruyants de la côte, pas plus que les parties de tennis à six heures du matin, où j'allais sans conviction.

Je devenais un ours des sables, traînant ma bouteille entre les dunes et allant m'ébrouer dans la mer quand j'avais trop chaud. Pour me donner bonne conscience, j'amenais une revue spécialisée — j'en recevais six par semaine — dont je ne feuilletais plus que les pages de publicité, et que j'oubliais la plupart du temps sur place. Mes journées se traînaient à ruminer du vide, à boire à même la bouteille et à polluer la plage de revues sans intérêt, qui seraient d'ailleurs dépassées dans six mois. Je comptais sur le travail pour me remettre sur pied. Mais je me doutais bien que cette fois, il m'en faudrait une plus forte dose.

Quand j'arrivai à mon appartement, le régisseur, monsieur Buck, vint à ma rencontre. Ancien maître d'hôtel d'un restaurant français de Los Angeles, il m'avait pris en amitié. Il avait gardé ses manières très stylées, ce qui expliquait sans doute en partie le prix très élevé de ces appartements.

— Votre femme est venue en votre absence, dit-il. Elle a demandé la clé de votre appartement. Elle a dit qu'elle allait prendre des affaires personnelles. Je la lui ai donnée. Elle est partie avec une valise.

— Vous avez bien fait. D'ailleurs, je lui fais plus confiance qu'à moi-même. J'ai dû perdre par distraction plus de choses qu'elle ne pourrait m'en prendre.

Il sourit.

— Dommage, vous formiez un beau couple.

— Bien sûr, un beau couple. Je pars demain pour Montréal. Je vous enverrai quelques menus en français, au lieu de cartes postales. Ça enrichira votre collection.

— Merci bien. Savez-vous que l'on parle de ma collection de cartes de restaurant dans le *Restaurant's Digest* du mois dernier? Je vous en laisserai un numéro.

— Mettez-le avec mes revues.

Elle n'avait emporté que des babioles et des souvenirs. La plupart coûteux, comme ce vase chinois que nous avions déniché dans le Chinatown de San Francisco, l'année dernière. Mais dans un sens, cela me touchait qu'elle ne tienne qu'à des objets de grande valeur: peut-être donnait-elle plus d'importance à notre passé que je ne me l'imaginais.

Je jetai le dossier de la Monnaies Transit sur la table. Je l'étudierais dans l'avion. J'ouvris la porte-fenêtre et m'appuyai à la rampe. On avait une vue magnifique sur la mer, à moins de deux cent mètres. Je m'étais habitué au bruit du ressac et je n'écoutais presque plus de musique.

Le téléphone sonna. C'était Peters, du service technique.

— Alors, Sherlock, on reprend le collier?

— Faut bien que je gagne votre croûte. Comment ça se présente?

— On a communiqué avec ton hôtel et avec Bell Canada. Ils installeront une prise de communications rapides pour y brancher ton ordinateur portatif. Ce sera fait aujourd'hui. Nous communiquerons en passant par le réseau trans-américain US-SERVE, comme toujours. Tu recevras ton numéro d'usager à l'hôtel. Comme ça, tu seras toujours en contact avec tes nounous de la Data.

— Très chic de votre part.

— Ne nous remercie pas, on est payé pour. Au fait, as-tu reçu le nouveau codeur-décodeur pour ton ordinateur?

— Je ne savais pas que nous avions un nouveau codeur. Le dernier a à peine six mois.

— Directives de Buddy. Ce travail exige plus de discrétion que jamais. On ne se sert pas du téléphone, et on ne communique que par micro-ordinateur. Codé, naturellement. Bien sûr, tu ne laisses pas traîner de papiers dans ta chambre et tu ne parles pas aux inconnus dans la rue. Le grand cirque, quoi. On se croirait à la télé. Tu as lu le dossier?

— Pas encore.

— Comme toujours. Bon, je résume: tu travailleras sur un TANDEM TXP, un ordinateur haut de gamme. Ils n'ont pas de complexes à Montréal. Nous avons réservé un accès à une université de la côte est qui possède un simulateur de cet ordinateur. Ça pourra toujours servir pour simuler des méthodes de fraudes sur un ordinateur de ce type.

— Parfait, je vois que je vous ai bien dressés.

— Merci, dit Peters. Tu recevras le nouveau codeur-décodeur ainsi que le rapport de Taylor cet après-midi par courrier spécial. Au fait, comment tu aimes ça travailer en solo sur un contrat de ce genre?

— Je me sens devenir adulte, dis-je.

Je passai le reste de la journée sur la plage. Le ciel était nuageux et il faisait trop frais pour se baigner. Marcher me suffisait. Je ne revins qu'à la nuit tombée.

Monsieur Buck avait laissé l'enveloppe dans la Data sur la table de l'entrée. Elle contenait le codeur-décodeur, les recherches de Taylor sur la Transit, les billets d'avion et le nom de mon hôtel. J'allai prendre une bière à la cuisine. Malgré l'obscurité, je la débouchai facilement. Je commençais à en avoir l'habitude.

Puis face à la mer, je m'affalai au fond de mon fauteuil. Il était près de minuit quand le téléphone me sortit de ma torpeur. C'était Chris, ma femme.

— Tu es sur la véranda? demanda-t-elle.

— Oui, je sirote une bière en écoutant les vagues.

Il y eut un silence.

— Je suis venue aujourd'hui prendre quelques petites choses. Et puis je voulais te dire...

J'attendais.

— Je voulais te dire que tu as toujours été un beau salaud. Par ton absence. Je m'en aperçois maintenant que je suis avec Mark. Ça m'a pris du temps à comprendre que tu ne fuyais personne, même pas toi ou moi. Tu fuyais vers l'avant, toujours parti, toujours occupé, toujours le meilleur. Tu fuyais la vie ordinaire, la médiocrité que tu ne pouvais t'empêcher de voir partout. C'en était une obsession.

Je me taisais.

— Tu fuyais une idée que tu te faisais de la vie. Une idée de ce qu'elle pourrait devenir si tu t'arrêtais. Pourtant, moi j'étais là. En t'arrêtant un petit peu, tu m'aurais rencontrée, non? Mais quand ce n'étaient pas des contrats urgents, c'étaient des cours ou des conférences aux quatre coins de l'Amérique.

— Je t'ai souvent demandé de m'accompagner.

— T'accompagner! Pendant que tu rencontrais des ingénieurs et discutais avec eux ordinateurs et communications, moi je tenais compagnie aux épouses.

— Et l'autre, comment est-il?

— Présent.

— Bien sûr, c'est un écrivain. Il est tout le temps à la maison, il est disponible. Mais pour combien de temps? Il a sa vie à bâtir, lui aussi. Que se passera-t-il quand il faudra qu'il s'y mette sérieusement? Et puis, les écrivains ont tous un ego démesuré, non? Te restera-t-il assez de place?

Je hurlais presque au téléphone.

— Calme-toi, dit-elle.

— Et puis, t'aurais pu essayer de vivre ta propre vie, toi aussi. Ce n'était pas nécessaire de m'attendre.

— Je la vivais, je ne lui courais pas après. Mais j'aurais aimé la vivre à deux.

— Et comme tu ne pouvais la vivre à deux, tu t'y es essayée à trois.

— Oui, c'est vrai. J'ai connu Mark alors que nous vivions encore ensemble. Et alors?

— Alors rien. Je suppose que c'était du temps partiel pour boucler tes fins de mois affectives?

— Tu sais que tu es très présent quand il s'agit d'être salaud?

J'écoutai un moment la tonalité de la ligne se perdre dans les bruits de la mer: elle avait raccroché. Je déposai doucement le combiné et allai me chercher une autre bière.

Pourtant, au début, c'était bien parti entre nous. Moi trop rationnel, elle trop impulsive, ç'aurait pu s'équilibrer. Et puis, elle se disait folle de moi. Je ne pensais pas avoir tant changé avec les années. Bon j'étais souvent parti. Elle me voyait peu. La distance permet peut-être de mieux juger.

II

La Monnaies Transit International

L'avion, en provenance de Los Angeles avec escale à New York, vola longtemps au-dessus de Montréal. Je pus admirer le Mont-Royal se découper en plein milieu du centre-ville. L'appareil survola un instant le fleuve qui enserrait l'île de Montréal de ses deux bras, puis les bâtiments bigarrés de l'Exposition universelle apparurent rapidement dans un coin du hublot. Finalement, l'appareil amorça sa descente.

C'était la cohue autour de l'aire de débarquement et j'attendis patiemment que la foule se disperse avant de me présenter devant le tapis à bagages. Quand la foule se fut suffisamment dispersée, je déposai mon attaché-case et ma valise-ordinateur sur un chariot et allai prendre mes valises. Le passage à la douane ne fut qu'une simple formalité et mon micro-ordinateur ne fut pas remarqué.

Un taxi me conduisit rapidement à l'hôtel, où je fus reçu par un employé au sourire réglementaire.

— Heureux de vous voir, monsieur Bourque. Votre voyage a-t-il été agréable?

— Comme tous les autres. Avez-vous reçu un message pour moi?

— Un télégramme de Los Angeles, dit l'employé en

me tendant une enveloppe. Une prise de communication est déjà installée dans votre chambre, monsieur. Désirez-vous autre chose?

— Ça ira pour l'instant, merci.

Sur un signe du préposé, un chasseur s'empara de mes bagages et me conduisit jusqu'à la chambre. C'était une chambre répondant aux normes standard de la compagnie: lit simple, deux téléphones, prise de télécommunication rapide, et télévision branchée sur les réseaux américains afin de capter tous les matches de football d'un bout à l'autre du continent. Seule touche incongrue dans ce décor banalisé: un bouquet de roses jaunes, mes préférées, sur la table de chevet.

Je contemplai un moment le bouquet. Il n'y avait que Joy, la secrétaire-qui-faisait-tout-marcher-à-la-Data, qui pouvait avoir eu cette délicatesse. Que ces fleurs proviennent de cet ours de Peters, c'était tout à fait hors de question.

J'allai aussitôt déposer ma valise-ordinateur sur le lit. J'en défis les côtés, sortis le micro-ordinateur et allai le brancher dans la fiche de transmission rapide. On pouvait bien sûr le brancher dans n'importe quelle prise de téléphone, mais après avoir travaillé dix-huit heures d'affilée, personne ne pouvait échapper à l'exaspération en voyant les caractères se traîner sur l'écran.

Je déchirai l'enveloppe du télégramme. Elle contenait le mot de passe du réseau transaméricain que nous utilisions pour nos communications. Le mot de passe avait été codé selon un chiffre simple. Plus en raison de la paranoïa aiguë qui sévissait dans le milieu qu'autre chose. Aucun professionnel désireux d'écouter mes communications ne se soucierait de ce mot de passe, codé ou non. Il lui suffirait de taper ma ligne de transmission.

Je fis démarrer le programme de télécommunication et entrai en contact avec le réseau auquel je donnai le mot de passe ainsi que le numéro d'accès à Los Angeles.

Passer par un réseau public présentait de nombreux avantages, dont celui d'utiliser la banque publique de données comme boîte aux lettres. Dans les périodes difficiles, c'était une méthode sûre et éprouvée, y compris pour le courrier confidentiel.

Je pris une mini-disquette et l'insérai dans le lecteur. Elle contenait le programme de codage-décodage conçu dans le laboratoire de la Data. Déchiffrable, bien sûr. Quel code ne l'était pas? Mais seulement après que de laborieux et coûteux efforts eurent été consentis par des spécialistes possédant l'équipement nécessaire. Tout, dans l'espionnage industriel, ne se résumait qu'à une question de prix. Pour l'instant, la logique économique permettait de supposer que mes communications seraient bien protégées.

Un signal sonore m'avertit du début des transmissions. L'interlocuteur de Los Angeles s'était bien identifié et l'ordinateur était entré en mode conversationnel. Je positionnai d'abord mon prénom qui s'afficherait automatiquement devant mes réponses, puis je reçus la première phrase sur l'écran.

Peters
Comment se comporte la transmission?

Alain
À merveille. Des nouvelles de Buddy?

Peters
Il te contactera par réseau, ce soir ou demain. Es-tu entré en contact avec le client?

Alain
J'attends encore le coup de fil de Fenders. Comment se

présente ce TANDEM TXP?

Peters
On potasse nos manuels techniques tout en faisant rouler ce simulateur de la côte est. Tu recevras très bientôt un résumé de nos recherches.

Alain
Qui compose l'équipe de soutien?

Peters
Je m'occupe de la partie transmission, John du Système d'exploitation tandis qu'Eddy se concentre sur l'emmagasinage des données.

Alain
John et toi n'étiez pas sur l'équipe travaillant à la Save Bank, à New York?

Peters
Buddy a allégé l'équipe de là-bas. Ces gens de la Monnaies Transit semblent assez pressés et ils ont l'air de posséder des moyens financiers plutôt persuasifs. Buddy a raconté une histoire à la Save, en se croisant les doigts pour que le tout se règle très vite à Montréal.

Alain
Et cet ordinateur?

Peters
Une machine très sophistiquée, entièrement orientée vers les communications. Un truc parmi d'autres, toutes les

composantes de la machine sont jumelées afin que la composante jumelle prenne le relais en cas de panne. À part ça, des tas de gadgets que les ingénieurs de TANDEM ont fignolé supposément pour nous faciliter la vie. On essaie de démêler tout ça.

Alain
Quand m'enverrez-vous ce résumé?

Peters
Nous bossons là-dessus depuis bientôt quarante-huit heures. Donne-nous encore dix heures et tu recevras le tout par réseau. N'oublie pas de mettre ton ordinateur en mode de réception automatique avant de sortir.

Alain
Excellent. Autre chose?

Peters
Maggie vient de m'appeler pour me dire que le petit avait commencé à marcher.

Alain
Félicitations pour le petit.

Je coupai la communication pour prendre une douche. Puis je m'asséchai tout en me servant un scotch bien tassé. J'avais passé la nuit dans l'avion à étudier les dossiers préparés par le client ainsi que ceux de notre centre de documentation. Tout y était: le personnel cadre et stratégique, les mesures de sécurité, ainsi que les opérations courantes de la Monnaies Transit.

Certains dossiers fournis par le client, spécialement ceux concernant le personnel dirigeant, étaient peu étoffés: discrétion oblige. Par contre, les dossiers pilotés par Taylor, notre recherchiste principal, étaient remarquablement complets, compte tenu du temps dont il avait disposé. L'équipe de pigistes qu'il dirigeait coûtait une fortune, mais était efficace. Selon les recherches entreprises par Taylor, il apparaissait que ces dirigeants avaient une drôle de réputation.

À mon deuxième scotch, le téléphone sonna.

— Alain Bourque? Ici Harry Fenders, président de la Monnaies Transit International. Je vous attends au restaurant de l'hôtel. Je suis plutôt petit, presque chauve, et je fume un «Classic Havan Barbosa».

Il avait déjà raccroché.

Tout en prenant l'ascenseur, je songeai qu'il était difficile d'être plus concis que ce Fenders. Malgré la foule, et parmi tous les hommes d'affaires qui pouvaient correspondre à sa description, je le repérai facilement. Il était le seul à déjeuner d'un verre de lait et d'un cigare.

Il se dégageait de lui une autorité nerveuse, celle d'un homme habitué à régner sur une ruche de secrétaires. Il était assis à côté d'un homme grand et mince, au maintien un peu solonnel. Fenders me le présenta: c'était Claude Harvey, vice-président à la Monnaies Transit.

— Bonjour, monsieur Bourque, dit Harvey en me tendant une longue main. Vous avez fait bon voyage?

— Excellent. Puis-je avoir un café?

Fenders fit signe au serveur et commanda en même temps un autre verre de lait. Nous avons attendu en silence, puis dès que le serveur nous eut servis, Fenders entra dans le vif du sujet.

— Avez-vous eu le temps de vous familiariser avec nos dossiers, monsieur Bourque?

— Je les ai lus deux fois dans l'avion. Ils ne m'ont

appris que l'essentiel sur vos activités de change de monnaies et sur vos mesures de sécurité.

— Qu'en déduisez-vous?

— De votre système informatique? Difficile d'être plus étanche, monsieur Fenders. Du moins d'après les renseignements dont je dispose: sécurité physique assurée en permanence par des gardes armés et des caméras vidéo, mots de passe multiples ne permettant l'accès qu'à une certaine information selon le profil de l'usager, télécommunications internationales entièrement codées, filtres très serrés sur les canaux de communication, tout y est. Mais quelque chose me tracasse.

— Je vous en prie.

— Buddy, je veux dire monsieur Johnson, m'a assuré que vous n'étiez pas certains qu'il y a bien eu fuite. On soupçonnait que vous vouliez seulement en avoir le coeur net.

— Il y a eu fuite, monsieur Bourque, mais peut-être s'agit-il d'informatique, peut-être pas. Nous menons présentement une enquête sur notre personnel. Peut-être y a-t-il une taupe à la solde de l'un de nos concurrents? C'est possible, mais si notre ordinateur est impliqué, nous voulons être au courant, et vite.

— Des événements précis ont dû se produire, dis-je.

— Des événements se sont produits, répondit Fenders.

Tous deux se rembrunirent du coup et Harvey avala son verre de lait d'un trait. Puis il recommença à tirer sur son cigare. Harvey ne disait mot, se contentant de lisser la nappe d'un geste lent, l'air absorbé. À en croire la lourdeur du silence, il paraissait évident que nous passerions bientôt aux confidences difficiles.

— La Monnaies Transit a plusieurs cordes à son arc, dit enfin Fenders. Certaines moins connues que d'autres.

J'attendais. Après un moment, Fenders reprit:

— Outre les opérations de change, nous nous

intéressons aussi à certaines formes d'investissement assumées par des tiers. Un type d'investissement très discret, vous comprenez?

Je hochai la tête. Les honoraires élevés que la Monnaies Transit me versaient favorisaient de beaucoup ma compréhension.

— C'est une pratique courante aux États-Unis, dis-je, du moins chez certains de mes clients. Peu nous importe vos opérations, monsieur Fenders, je suis ici pour déjouer un acte de piratage illégal dirigé contre votre compagnie. Le reste n'a aucune importance. Au fait, vous parliez d'un incident?

Rassuré, Fenders en vint au fait.

— Une vraie vacherie, lança-t-il d'un air dégoûté. Un de nos clients, un investisseur européen, projetait l'acquisition discrète de terrains dans le nord du Manitoba. Site très prometteur en minerais. Nous avons commencé à en acheter des parcelles par l'intermédiaire de sociétés prête-nom afin de ne pas éveiller de soupçons ni provoquer de ruée. Tout se passait bien. Nous avons l'habitude de ce genre d'affaires. Mais voilà: un des derniers lots du site nous a été soufflé à la dernière minute. Un achat en catastrophe fait par une compagnie boîte aux lettres à Toronto. Cette compagnie a pris contact directement avec le client, vous vous rendez compte? Nous étions les seuls dans cette transaction, personne ne connaissait notre client.

— Et puis?

— Ils lui ont offert le lot pour cinq fois son prix d'achat. Notre client a payé, bien sûr; il n'avait pas le choix. Mais il était furieux. Inutile d'ajouter que nous l'avons perdu.

— Et vous croyez que cette fuite serait le résultat d'un piratage de votre ordinateur?

— Toutes ces opérations ont été effectuées au moyen de notre système informatique, dit Harvey, intervenant pour la première fois dans la discussion. La possibilité d'une fuite est plus que probable.

— Je vois, dis-je. Venons-en maintenant aux choses pratiques. Quel sera mon statut dans la boîte?

— Consultant en sécurité, dit Harvey. Vous aurez accès à toutes les données, à toutes les installations. Pour les employés, vous êtes embauché seulement pour évaluer et apporter des modifications, au besoin.

— Voici la liste des codes d'accès du système, dit Fenders en glissant une enveloppe sur la table. Inutile de vous dire d'y faire attention. Nous vous serions reconnaissants de ne pas l'égarer. Des questions?

J'empochai l'enveloppe.

— Ça ira pour le moment, merci.

— Pouvons-nous nous attendre alors à un dénouement de cette affaire dans les deux semaines? demanda Fenders.

— Une enquête de ce genre dépasse rarement un mois, monsieur Fenders.

— Vous avez deux semaines, monsieur Bourque, dit Fenders en me pointant de son cigare. Les honoraires que nous vous versons justifient nos exigences. Nous sommes pressés par le temps.

— Vous dirigez une entreprise particulière, monsieur Fenders, expliquai-je patiemment. Vous gérez un fonds de plusieurs millions de dollars qui vous sert de matière première et ces opérations de change de monnaies impliquent sûrement un nombre élevé de transactions devant être effectuées par votre ordinateur. Un délai de trois semaines serait considéré comme raisonnable dans le cas présent.

— Nous n'avons pas le temps d'être raisonnables, dit Fenders. Vous avez deux semaines. Si vous n'êtes pas d'attaque, dites-le tout de suite. Nous ferons appel à une autre firme.

— Deux semaines suffiront, monsieur Fenders.

— Bien, dit-il avec satisfaction. Une petite précision au sujet de notre chiffre d'affaires: parler de quelques centaines de millions serait plus raisonnable.

Ce Fenders avait vraiment besoin d'un faiseur de miracles, et devait s'imaginer pouvoir se le payer. Cette précision au sujet de son chiffre d'affaires révélait d'ailleurs un trait étonnant chez Fenders: quand il parlait d'argent, il en devenait presque beau. Cette particularité n'était pas signalée dans son dossier. Chose malgré tout compréhensible, mais étant en complète contradiction avec sa photo jointe en annexe.

Son dossier le décrivait par contre comme un individu remarquablement sans scrupules, rompu aux situations équivoques, rapide dans ses décisions et habité d'une mauvaise foi hors du commun. À preuve: on faisait état d'une histoire d'associés ruinés à la suite d'opérations comptables relevant du banditisme public, orchestrées avec un flair remarquable apte à deviner le moment propice où il fallait se retirer d'une affaire mal enclenchée. Mais ce jugement sévère était peut-être dû au fort penchant moralisateur de notre recherchiste principal, Taylor.

Quant à Harvey, les renseignements que fournissait son dossier étaient plutôt minces. Taylor le décrivait comme un père de famille exemplaire. Spécialiste des mouvements de capitaux, possédant une solide formation juridique, il avait été formé par le milieu bancaire. On imaginait mal les raisons qui l'avaient poussé à s'associer à un capitaliste-baroudeur de la trempe de Fenders.

— Je dois travailler au siège social de la compagnie, à Toronto, pour les prochaines semaines, dit Fenders. Je ne pourrai, par conséquent, superviser votre enquête. Je laisse ce soin à monsieur Harvey.

Harvey consulta sa montre.

— Il est présentement onze heures, dit-il. Que diriez-vous de me retrouver dans mon bureau à une heure, cet après-midi?

— J'y serai, dis-je.

La Monnaies Transit International avait ses bureaux rue Saint-Jacques, au coeur du quartier des affaires de Montréal. Édifice quelconque sur cinq étages, en vieilles pierres grises. À l'entrée, une plaque de cuivre annonçait la raison sociale. De larges vantaux de chêne s'ouvraient sur la réception, où une employée attentive filtrait les visiteurs qui étaient ensuite dirigés vers de petits bureaux. Les clients étaient reçus par des commis sérieux et efficaces.

— Puis-je vous aider, monsieur?

— Alain Bourque. J'ai rendez-vous avec monsieur Harvey.

La réceptionniste enfonça quelques touches, déclina mon identité, pour enfin m'indiquer un ascenseur sur la gauche.

— Vous êtes attendu, monsieur. Cinquième étage.

Je traversai le vaste hall d'entrée et me dirigeai vers l'ascenseur. Je fus accueilli au cinquième par une très belle jeune femme, vêtue d'un tailleur très strict.

— Monsieur Bourque? Lucie Riopelle, adjointe de monsieur Harvey. Si vous voulez bien me suivre.

Je l'aurais volontiers suivie jusque dans le bureau de mon percepteur d'impôts. Elle me pilota plutôt avec célérité à travers des locaux désuets où un tas d'employés s'affairaient. Les terminaux sur tous les bureaux contrastaient avec l'aspect suranné des boiseries de chêne, des grandes fenêtres à carreaux et des bibliothèques vitrées. Curieux mélange de modernisme et de tradition.

— Vous n'avez pas lésiné sur le chêne lorsque vous

avez aménagé vos bureaux, dis-je.

Elle eut un sourire poli, tout en s'effaçant pour me laisser la précéder dans un couloir.

— Cet édifice a été construit au siècle dernier pour y aménager une banque. Nous tentons de lui conserver son cachet vieillot.

— Vous avez fort bien réussi, dis-je.

Une fois arrivés devant une porte massive, elle frappa avec déférence. Je notai la serrure magnétique à l'entrée. La porte s'ouvrit électriquement et j'entrai le premier. Claude Harvey se leva de tout son long pour me recevoir.

— Heureux de vous revoir, dit-il en me tendant la main.

Le bureau était vaste, lambrissé de chêne jusqu'au plafond. Deux tables de travail et de luxueux fauteuils de cuir meublaient la pièce. Sur chacune des tables, un terminal était allumé.

Harvey ne perdit pas de temps en formules de politesse.

— J'ai convoqué le personnel cadre, qui nous attend dans la pièce à côté. J'ai pensé que vous aimeriez les connaître.

— Très bonne idée, dis-je en le suivant alors qu'il se dirigeait déjà vers une porte latérale.

Il ouvrit. Son bureau donnait directement sur la salle de conférences. Dans cette pièce aux larges fenêtres, une grande table de chêne et des fauteils de moleskine rouge trônaient au centre. En regardant les petites lampes de cuivre posées devant chaque fauteuil, on ne pouvait s'empêcher de penser aux conseils d'administration qui avaient dû s'y tenir à une autre époque.

Les trois personnes assises au bout de la table déposèrent leur café en nous apercevant.

— Je voudrais vous présenter monsieur Alain Bourque, consultant en sécurité.

Les responsables me serrèrent la main, tout en déclinant leur identité. Je fus donc présenté à Michèle Mercier, responsable des opérations, John Mankowitch, responsable de la programmation et Yves Adams, analyste technique.

Nous nous sommes assis et Harvey entama un rapide exposé.

— Monsieur Bourque est un consultant en informatique embauché pour effectuer une étude complète de nos mesures de sécurité. Il nous soumettra, dans les plus brefs délais, un rapport assorti de recommandations. Je m'attends à ce que vous lui fournissiez tout le support possible.

Tous trois hochèrent respectueusement la tête. Puis Harvey me fit un petit signe me priant de continuer.

— J'apprécierais que vous me brossiez un rapide survol de vos activités, dis-je, afin de savoir à qui m'adresser pour certains renseignements dont j'aurais besoin aux fins de ma recherche.

— Je suis responsable des opérations courantes, dit Michèle Mercier en se lissant les cheveux.

Elle était très mince pour une femme frôlant la cinquantaine, impeccablement maquillée, habillée avec élégance.

— Ce qui veut dire, poursuivit-elle, que je vérifie si nos agents n'outrepassent pas leurs compétences, si les transactions s'effectuent conformément aux modalités prévues, et si les règles de sécurité sont strictement respectées.

— Bref, vous tenez vos agents à l'oeil.

Elle esquissa un sourire.

— C'est à peu près ça.

— Merci, madame Mercier. Monsieur Mankowitch? demandai-je à un petit homme rond et passablement déplumé.

— Je produis les spécifications techniques des

programmes à effectuer et je contrôle leur réalisation confiée à des firmes de consultants. Quand ces programmes sont à point, je les vérifie pour ensuite les insérer dans l'ensemble des autres programmes afin de les mettre en production.

— Merci, monsieur Mankowitch. Monsieur Adams, vous êtes bien l'analyste technique?

— Exact.

L'allure de cet homme correspondait bien au profil décrit dans son dossier: épaisses lunettes d'écaille, veston élimé aux fines rayures blanches, cravate mal nouée sur une chemise de coton défraîchie. Il se faisait évidemment couper les cheveux chez son épicier, et se rongeait les ongles comme si c'était là sa seule source de vitamines.

Tout, chez Adams, laissait deviner qu'il ne faisait pas partie de ces programmeurs de lave-vaisselle, ni de ces maniérés en veston et cravate qui ont toujours soin d'allier la couleur de leur attaché-case à celle de leur cravate. Il portait au contraire l'uniforme usé de ces informaticiens de première ligne qui ont pour mission de faire rouler coûte que coûte ces machines à bits partout sur la planète.

Je n'avais même pas à me pencher sous la table pour asseoir mes conclusions: ses chaussettes contrastaient nécessairement avec la couleur de son pantalon et il portait ces chaussures classiques en peau de porc si confortables. Ils étaient tous comme ça.

Moi aussi d'ailleurs, avant de rencontrer Chris. Les copains avaient passé dans les bars de longues soirées à s'interroger sur ce que pouvait bien me trouver cette femme de classe. À force de chercher, ils avaient fini par trouver. Peut-être le fait de se balader dans une Porsche grand sport était-il la clef de la réussite? Quoi qu'il en soit, ils s'étaient tus acheté une Porsche.

De toute façon, Chris m'avait pris en main. Elle m'avait harcelé jusqu'à ce que je m'habille correctement, c'est-à-dire très cher; elle m'avait initié aux objets d'art, à la musique classique, et avait lutté fort pour élargir mes horizons littéraires au-delà du *Scientific American*. Elle en était même arrivée à me faire aimer les fleurs.

— Expliquez-nous ça, dis-je.

Adams haussa les épaules, ce qui eut pour effet de déplacer sa cravate, laissant apparaître un col déboutonné.

— Je suis responsable de l'ordinateur: qu'il s'agisse de nouveaux écrans à installer, de nouveaux canaux de communication à configurer, ou tout simplement d'une panne, je m'en occupe.

— Merci, monsieur Adams.

La réunion avait duré à peine cinq minutes, mais ça suffisait pour l'instant. Le premier contact était fait et de toute façon leurs dossiers m'avaient déjà appris l'essentiel. Dans l'immédiat, seul Adams m'intéressait, et il était temps d'aller jeter un coup d'oeil à cet ordinateur.

— Je vous remercie pour cette brève mise au point. Je désirais tout d'abord avoir un résumé de vos fonctions, cela dans le but de favoriser les contacts futurs. J'aimerais bien visiter les lieux, dis-je en me retournant vers Harvey, spécialement la salle d'ordinateur. Verriez-vous un inconvénient à ce que monsieur Adams me serve de guide?

— Aucun problème, dit Harvey. Quand vous en aurez terminé avec cette visite, madame Riopelle vous indiquera le bureau qui vous est réservé et vous remettra une carte d'identité magnétique.

— Excellent, dis-je. Allons-y.

Je ne m'attardai pas à répondre aux interrogations silencieuses de Markowitch et de madame Mercier. Ils n'avaient qu'à demander des explications plus détaillées à Harvey. Je me contentai de serrer les mains en débitant les banalités d'usage, puis Adams et moi sommes descendus au troisième étage où se trouvait l'ordinateur. En sortant de l'ascenseur, un long couloir nous conduisait vers une première porte blindée. Un garde dans une cage de verra appuya sur un bouton pour nous laisser entrer, et la carte magnétique d'Adams fit pivoter une deuxième porte. Voilà, nous y étions.

C'était une salle tout ce qu'il y a de plus classique, mais bien équipée. L'unité centrale ronronnait en plein centre, les disques-mémoires s'alignaient sur un côté et les unités de bandes magnétiques de l'autre, deux imprimantes crachaient du papier dans un coin et les contrôleurs de télécommunication clignotaient à tout rompre contre le mur du fond. On n'avait pas oublié les blocs électrogènes qui reposaient dans un coin, prêts à s'activer automatiquement à la moindre panne de courant.

La pièce baignait dans un tintamarre strident de sonneries de téléphone auxquelles l'opérateur essayait tant bien que mal de répondre, et on se gelait les pieds dans un environnement hyper-climatisé. À vue d'oeil, il devait y en avoir pour trois millions de dollars.

— Pas mal, n'est-ce pas, monsieur Bourque? dit Adams comme s'il m'exhibait sa toute nouvelle voiture grand sport.

— Impressionnant.

— Voulez-vous que je vous fasse faire le tour du propriétaire?

Ses yeux brillaient de plaisir.

— Bonne idée, dis-je en le suivant à la console. Vous n'utilisez qu'un opérateur?

— Deux le jour, un la nuit. Notre second opérateur est présentement à la salle des coffres-forts, dit-il en indiquant du doigt une porte vitrée dans le fond de la salle. C'est là que nous entreposons nos archives sur bandes magnétiques. Allons, Marc, fais un peu de place, dit gentiment Adams en poussant l'opérateur de la console. Nous avons de la visite. Au fait, je te présente Alain Bourque, consultant en sécurité.

Nouvelle poignée de main.

— Bienvenue, monsieur, nous sommes à votre disposition.

— Merci.

Déjà Adams me faisait signe en m'indiquant la console où se déroulait une série de chiffres.

— Vous voyez, nous avons une vue d'ensemble du système. Entrons la commande d'état du système. Nous avons ici un profil de toutes nos lignes de télécommunication: ici Amsterdam, Londres, Bonn et New York pour les destinations étrangères; Toronto, Calgary, Vancouver et Montréal pour les destinations canadiennes. Allons voir ce qui se passe à Toronto. Nous avons ici la liste des agents qui utilisent le système ainsi que le type d'opérations qu'ils sont en train d'effectuer. Prenons, par exemple, notre agent à Toronto, ce Marker. Là, vous voyez, il négocie une transaction pour l'achat de 400 000 francs suisses, via Londres.

— Vous pouvez ainsi suivre l'activité de vos agents?

— Oui, et toutes leurs activités sont enregistrées sur bandes magnétiques et emmagasinées dans le coffre-fort, pas de cachotterie possible. Mais vous devez être au courant de tout ça, non?

— Oui, de toute façon, c'est classique.

— Bien sûr. Voulez-vous jeter un coup d'oeil sur le fonctionnement interne de l'ordinateur?

— Pourquoi pas.

Adams tapa rapidement quelques commandes et les données apparurent sur l'écran.

— Les disques-mémoires se comportent normalement et sont utilisés aux trois quarts de leurs capacités, les canaux de communication fonctionnent à peu près au maximum de leur puissance et l'ensemble du système a l'air tout à fait stable. Pas mal, non?

— Splendide, dis-je, nous voilà rassurés. Mais j'aurai le temps de fouiller tout ça très bientôt. Que diriez-vous de m'indiquer où se trouve mon bureau. Ensuite, j'irais bien boire un café. J'ai eu droit à une nuit assez courte.

— Ces voyages en avion, hein? Je comprends. Pour ce qui est de votre bureau, c'est celui tout à côté de la salle d'ordinateur, juste en face du mien. Mais nous ne pouvons le visiter pour l'instant, on ne peut y pénétrer qu'avec la carte magnétique d'identité du titulaire. Et le code a été changé ce matin.

— Je vois. Et où se trouve ce contrôleur permettant de programmer les codes d'entrée magnétiques?

— Dans le bureau de monsieur Harvey. On ne peut y pénétrer qu'avec sa carte personnelle, évidemment.,

— Excellent, je vois que l'on n'a rien oublié ici. Y a-t-il une prise de télécommunication rapide dans ce bureau? Je voudrais y brancher mon ordinateur portatif.

— Vous n'avez qu'à le brancher sur votre téléphone.

— Pas assez rapide. Pourriez-vous me fournir cette installation dans mon bureau dès demain matin ainsi que le code d'accès à votre machine?

Adams eut un regard exaspéré et pour la première fois j'eus droit à cette curieuse posture qu'il prenait inconsciemment et qui consiste à se lever sur le bout des orteils pour mieux se pencher sur l'interlocuteur importun.

— Vous voulez vous brancher sur notre ordinateur, y puiser toutes les informations que vous voulez et les envoyer dans la nature à travers un réseau de télécommunication public?

— Je ne veux que transmettre certaines informations d'ordre purement technique à mon équipe de soutien à Los Angeles, dis-je d'une voix calme. J'ai toutes les autorisations nécessaires, vous n'avez qu'à vous renseigner auprès de monsieur Harvey.

Son regard s'était adouci mais il continuait de me regarder d'un drôle d'air.

Ma pseudo-identité de simple consultant ne tarderait

pas à tomber. Il y avait toute une différence entre effectuer une enquête de routine et pénétrer l'ensemble du système de communication en faisant fi des mesures de sécurité.

— Bien, dit-il doucement. Si monsieur Harvey est d'accord, il n'y aura pas de problème. Autre chose?

— Passons d'abord au café, dis-je.

— Cette seconde requête est sans doute encore pire que la première, dit Adams en souriant. Vous imaginez peut-être que j'ai absolument besoin de boire un café avant de l'entendre?

— Non, dis-je en lui rendant son sourire. Mais moi, j'en ai tout simplement besoin.

Nous sommes donc sortis de la salle et avons traversé un couloir. Adams m'indiqua un local à ma gauche. Dans la salle de repos trônait une énorme cafetière. Quelques employés y bavardaient pendant leur pause-café et les chaises rangées contre le mur étaient toutes occupées. Adams m'entraîna au bord de la fenêtre et s'assit sur le radiateur où s'empilait une liasse d'imprimés d'ordinateur.

— La participation du département à l'ameublement de l'édifice, dit-il.

Il revint avec deux verres de café fumant.

— Merci. Votre ordinateur est-il en marche la nuit?

— Bien sûr, il fonctionne sans arrêt. Balance des comptes, comptabilité des transactions, tout y passe.

— Eh bien! désolé, je vais le mettre au repos cette nuit. Je veux le faire vérifier par des ingénieurs de TANDEM, histoire de m'assurer de certaines petites choses avant de me mettre à la tâche.

— Mais c'est inutile, cet ordinateur est en parfait état. Nous l'avons fait vérifier pas plus tard que la semaine dernière.

— Je sais, mais ce sont de simples précautions de routine. C'est seulement un peu plus urgent que d'habitude, voilà tout. Pouvez-vous prévenir les responsables des départements qui sont concernés?

Adams me scruta un instant de ses yeux de chouette.

— Pourquoi devez-vous absolument le débrancher? La plupart des composantes peuvent être vérifiées sans qu'il soit nécessaire de tout stopper. Pour le reste, une ou deux heures devraient suffire.

Je me souvins du dossier d'Adams qui devait avoir été monté par une huile de la Monnaies Transit. Le ton qui y transpirait était celui de l'exaspération, face à un expert s'entêtant et faisant valoir ses compétences, sans aucun tact pour ses supérieurs. Il devenait évident que je ne pourrais jamais monter un bateau à un type pareil et qu'il valait mieux mettre les choses au clair tout de suite.

— Écoutez, Yves, permettez que je vous appelle Yves?

— Bien sûr, Alain.

— Bon, je vais vous expliquer de quoi il s'agit. Pour commencer, j'ai l'intention de mettre cette foutue machine en pièces détachées pour m'assurer que l'ensemble des composantes est bien ce qu'il doit être. Vous me suivez? Ensuite, je m'attaquerai aux canaux de communication qui s'envolent dans toutes les directions à travers la moitié de la planète, pour être bien certain qu'il n'y a aucun coulage en cours de route. Jusque-là, ça va? Vous êtes d'accord avec la première partie du programme?

— Bien sûr, bien sûr, Alain, dit Adams en clignant doucement des yeux en signe d'apaisement. Je voulais seulement vous aider, avancer des suggestions. Tout cela me semble correct. Je communiquerai avec madame Mercier pour les opérations comptables. Il n'y aura pas de problème.

— Je vous remercie, Yves, je savais que je pouvais compter sur vous, c'est ce qu'ont dit vos supérieurs. Faut m'excuser, j'ai eu une nuit difficile.

— Je comprends, je suppose que l'on vous accorde des délais impossibles à respecter, vous aussi? Ils sont toujours comme ça. Ah! voici Lucie.

— Bonjour, me dit-elle, voici votre carte. Désirez-vous que je vous conduise à votre bureau?

— Merci, Yves me l'a déjà indiqué.

— Alors, si vous avez besoin de quoi que ce soit, dit-elle avant de se diriger vers un coin pour bavarder avec quelques copines.

Je pris bonne note de l'invitation, puis repris la discussion avec Yves.

— Monsieur Harvey a-t-il toujours des assistantes aussi intéressantes? demandai-je.

— Lucie est d'une grande utilité, dit Yves. Elle a toute une tête sur les épaules et elle sait où elle va. D'où êtes-vous, Alain, je veux dire de quelle université?

— L'Université de Montréal, puis Berkely où j'ai obtenu une maîtrise en sécurité. Et vous, Yves?

— De l'Université du Québec. J'ai ensuite fait quelques boîtes avant d'atterrir ici. J'y suis depuis trois ans. Pour qui travaillez-vous?

— Pour mon propre compte, dis-je tout en allant me servir un autre verre de café. Les membres de l'équipe de soutien sont de vieux amis. Nous fonctionnons à contrat. Quelquefois en solo, quelquefois en équipe. Bien, je vais aller terminer ce café dans mon bureau tout neuf et donner quelques coups de fil. Je reviendrai ce soir.

— Besoin d'un coup de main?

— Non merci, les ingénieurs suffiront.

Je quittai le local pour me diriger vers mon bureau. Il était un peu moche, et avait vue sur un bâtiment en démolition. Je devais appeler les ingénieurs de TANDEM. Qui était notre contact là-bas? Oui, un certain Harper. Je dénichai son numéro dans mon carnet et appelai le bureau à Cupertino, en Californie. Harper était un homme occupé mais le nom de Buddy ouvrait des portes.

— Monsieur Harper? Alain Bourque, de la Data Security.

— Oui, je sais, vos gens de Los Angeles m'ont prévenu que vous auriez besoin de nos services. Que puis-je faire pour vous aider?

— J'ai besoin d'une équipe d'ingénieurs pour un TANDEM TXP. L'histoire habituelle: vérifier si tout est régulier. Mais je ne veux pas de gugusses, hein?

— Oui, oui, un commando d'ingénieurs de choc. Je vais vous trouver ça. Pour quand?

— Cette nuit-même, à Montréal.

— Vous y allez un peu vite, monsieur Bourque. Montréal, ce n'est pas la porte d'à côté et puis nos gars sont occupés. Vous connaissez la consigne: au moins trois jours d'avis pour tout boulot délicat.

— Mais il s'agit de circonstances exceptionnelles, une situation de crise. Cependant, je comprends vos obligations; aussi j'offre tarif triple pour la compagnie: cinq mille dollars pour chacun de vos gars et deux mille pour vous. En tout, vingt mille dollars à partager entre vous si vos ingénieurs trouvent la fuite. Est-ce déjà plus raisonnable?

— À ce prix, je confisque la navette spatiale pour vous les envoyer au plus vite. Donnez-moi un numéro où je peux vous rejoindre et je vous rappelle dans une quinzaine de minutes.

Je donnai mon numéro et raccrochai. Si Fenders voulait des miracles, il n'avait qu'à mettre le prix. Je profitai du répit pour griller une cigarette et finir mon café. Le téléphone sonna dix minutes plus tard.

— Monsieur Bourque, ici Harper. Vous aurez vos gars pour onze heures à l'aéroport: deux ingénieurs, Mike Ambler et Sal Brunswick, qui sont présentement à Boston.

— Ils ont des références dans le milieu?

— Oui, un instant. J'entendis des froissements de papier au bout du fil. Voilà, ils ont déjà travaillé pour Security More, ça vous dit quelque chose?

— Non. Y a-t-il autre chose?

— Oui, Brunswick a déjà travaillé pour Al Passey de Check-Data, à New York.

Ça, c'était toute une référence.

— Patientez quelques minutes, je vous rappelle.

Je trouvai le numéro dans mon calepin et appelai aussitôt la Check-Data. Je ne parvins pas à rejoindre Passey, un des meilleurs analystes en sécurité de la côte est, mais j'eus, au bout du fil, son principal assistant. Ce Brunswick possédait une bonne carte de route. C'était un type très professionnel qui ne laissait rien au hasard. Tout à fait le genre de la Data Security. Quant au second, il s'agissait d'un junior que Brunswick tentait de former. C'était de bonne guerre. Je rappelai Cupertino pour donner mon acceptation. Les ingénieurs devaient être à la Monnaies Transit pour minuit, et ils auraient le temps de prendre un peu de sommeil dans l'avion.

Harper se fit rassurant.

— Deux heures de sommeil, quelques vitamines, et vingt mille dollars lorsqu'ils vous remettront la clé, c'est tout ce qu'il leur faut. Vous pouvez leur faire confiance.

— Je les attends.

Ça commençait à s'organiser. C'était le moment que je préférais le plus, presque tout autant que la finale.

III

Ordinateur en pièces détachées

U n message m'attendait à la réception de l'hôtel. Un monsieur Mark me demandait de le rappeler au numéro indiqué au dos d'une carte d'affaires. La carte était d'aspect sobre et indiquait le nom d'un certain Eddy Mark, représentant. Je demandai au préposé de me réveiller à onze heures précises. Une collation devait m'être montée dix minutes plus tard. Aucun message n'était en attente sur mon micro-ordinateur; Buddy n'avait pas jugé bon de m'appeler. Quant à la carte d'affaires, je savais fort bien qu'Eddy Mark n'était rien d'autre qu'un des nombreux pseudonymes qu'Anthony Atkins utilisait. Anthony prenait son métier très au sérieux, et il était peut-être le seul à apprécier cette obligation du secret qui sévissait dans notre profession. Il était responsable des opérations difficiles, euphémisme utilisé abondamment par Buddy pour signifier les opérations effectuées dans les zones grises de la légalité. Il était

Je l'appelai au numéro indiqué qui s'avéra être celui d'un hôtel voisin. Mon appel fut aussitôt acheminé au bar de l'hôtel.

— Alors, Eddy, un bon voyage?

— Voyages d'affaires de routine. J'ai ton équipement bouclé dans une camionnette au parking de l'hôtel. Tu le veux pour quand?

— Amène-moi ça directement à la Monnaies Transit
... disons à deux heures cette nuit. Ça te va?

— Pas de problème. À cette nuit.

— Bon drinks, Eddy.

Transporter de l'équipement sophistiqué présentait
toujours de nombreux risques, surtout lorsqu'il fallait
traverser les douanes. Et quand il s'agissait de matériel de
détection et d'écoute électroniques, les difficultés
pouvaient facilement se transformer en problèmes insur-
montables. Les douaniers devenaient soudainement
méfiants. Allait-on porter atteinte à la sécurité nationale?
Accusation plutôt vague, laissant place à toutes les interprétations, et entraînant par conséquent des pertes de
temps énormes. Ou ne s'agissait-il pas d'une tentative
d'exportation illégale de matériel de pointe vers un pays
de l'Est? Un fonctionnaire trop zélé avançait-il cette possibilité, les douaniers devenaient alors d'une nervosité
exaspérante.

Il fallait fournir des tas d'explications détaillées,
montrer le fonctionnement de certains appareils, donner
le nom de la Data Security et contacter un bureau presti-
gieux d'avocats d'affaires de New York qui pouvait
répondre du sérieux de la compagnie. Et le comble, c'est
qu'il fallait toujours leur fournir le nom de notre client,
lequel recevrait immanquablement, quelques jours plus
tard, la visite de l'escouade de répression des fraudes.
Ces messieurs mettaient leur nez partout, ce qui rendait
certains administrateurs très nerveux, et il fallait éviter à
tout prix, pour le renom professionnel de la Data Security, ce genre d'opération.

La solution la plus simple revenait à faire appel aux
talents d'Anthony. Celui-ci savait se débrouiller pour faire
passer l'équipement au noir, ce qui empêchait toute
tracasserie gouvernementale. Si cela s'avérait impossible,
Anthony s'occupait alors de louer sur place le matériel
nécessaire, assez difficile toutefois à dénicher, et par

conséquent fort coûteux.

Une autre responsabilité d'Anthony consistait à retenir les services d'équipes de professionnels pour faire face aux situations difficiles lorsque des compétiteurs utilisaient les grands moyens pour parvenir à leurs fins et empêcher l'enquête de la Data de progresser.

Contrairement aux fraudes financières, qui demeuraient le domaine de prédilection d'informaticiens plus astucieux que d'autres, mais farouchement individualistes, l'espionnage industriel était rapidement devenu l'apanage de certaines sociétés spécialisées, possédant ressources et compétences nécessaires. Ces compagnies fonctionnaient la plupart du temps à contrats, pour le compte de clients désireux d'obtenir de l'information sur leurs concurrents. Certaines de ces compagnies spécialisées utilisaient des moyens peu recommandables selon le code tacite de la profession. Pour parer à ce genre de situations, Anthony était chargé de recruter l'équipe de protection.

Le téléphone me réveilla à onze heures précises. Je pris le temps de prendre ma collation en toute tranquillité, mon hôtel n'étant qu'à quelques minutes de marche de la Transit, en plein centre-ville de Montréal. J'arrivai au rendez-vous dix minutes avant l'heure convenue, mais les ingénieurs, eux, arrivèrent avec vingt minutes de retard. Nous sommes montés directement à la salle d'ordinateur.

Sal Brunswick était un homme tranquille, d'une cinquantaine d'années, qui avait appris à travailler rapidement, mais sans s'énerver. Mike Ambler était dans la vingtaine et semblait plein de déférence pour la compétence de son aîné. Ils devaient former une bonne équipe.

L'opératrice de nuit s'appelait Annie Mail et elle nous reçut les deux pieds sur sa table de travail, en pianotant distraitement à la console. Elle portait des jeans très étroits, un chandail de coton ouaté et des bottillons de daim. Elle fit un effort méritoire pour s'introduire en français, avec un très fort accent du Texas. Nous passâmes rapidement à l'anglais.

— Bonsoir, monsieur Bourque. Yves m'a prévenue de votre visite. La machine vous appartient jusqu'à demain matin, huit heures précises.

— Merci, nous allons nous débrouiller.

Elle nous quitta sur un petit signe de tête et alla s'asseoir dans le fond de la salle avec un gros livre.

Si mes ingénieurs pouvaient tenir le coup toute la nuit, nous allions avoir amplement de temps devant nous. Il s'agissait de s'assurer que la machine n'avait pas été trafiquée, en vérifiant d'abord les circuits, puis le micro-code.

Ainsi, certains circuits auraient pu être trafiqués pour permettre à un individu non autorisé de se brancher sur l'ordinateur et de court-circuiter les mécanismes de contrôle. Les mécanismes de contrôle de sécurité auraient ainsi pu être neutralisés, de façon à se ménager une «porte de sortie par derrière» comme on dit dans le jargon. À l'aide des schémas détaillés de la machine, les ingénieurs pouvaient vérifier cette hypothèse en quelques heures.

La question du micro-code était plus complexe. Le micro-code est en quelque sorte le système nerveux de la machine, il est composé de micro-commandes qui font le relais entre les instructions de programmation et l'ordinateur. Les programmes de sécurité analysent les codes d'accès des usagers afin de déterminer les informations auxquelles chacun a droit. Pour ce faire, ils enclenchent une série de micro-commandes qui effectuent les vérifications nécesaires, et autorisent ou non l'accès aux informations.

Ce micro-code peut être modifié et les micro-commandes deviennent alors piégées, ne pouvant plus faire correctement leur travail, ou autorisant des exceptions, selon les besoins du fraudeur. Ce travail exige une connaissance approfondie de l'ordinateur en question, et n'est pas à la portée du premier venu. Mais un type comme Yves Adams, ou quiconque ayant pu se brancher clandestinement sur la machine aurait fort bien pu réussir.

Vérifier le micro-code en son entier pouvait prendre des mois, les interactions de micro-commandes étant presque illimitées. Par contre, une vérification des principales composantes pouvait prendre quelques heures. Si quelqu'un avait modifié le micro-code, il y avait de fortes chances qu'il ait laissé des traces.

Après avoir déposé leurs mallettes sur la table de travail, les ingénieurs commencèrent aussitôt. Pendant qu'Ambler enlevait les larges panneaux de métal qui entouraient l'ordinateur, Brunswick, lui, étalait sur la table les nombreux schémas de fonctionnement de la machine. Il feuilleta rapidement les schémas des plaques de circuits, tout en jouant machinalement avec ses lunettes, comme pour se remettre en mémoire l'ensemble du processus de fonctionnement de la machine, puis il releva enfin la tête.

— Nous allons commencer par vérifier l'ensemble du matériel; ensuite nous passerons au micro-code. La première vérification nous prendra tout au plus trois heures; quant au micro-code, cela dépend de ce que vous voulez.

— Vérifiez les opérations de base en ce qui concerne les filtres de sécurité; ensuite attaquez-vous aux procédures d'accès aux données. Le genre de truc qui pourrait permettre une entrée par derrière, vous voyez?

— Parfaitement. À mon avis, ce devrait être suffisant. Ce sont les trucs classiques, mais comme cet ordinateur est d'un modèle plutôt récent, en plus d'être assez compliqué, rares sont ceux qui pourraient faire mieux.

— Combien de temps vous faut-il?

— Ce sera fait pour demain matin, n'ayez crainte... Bon, je vois que Mike a fini de déballer la machine, nous pouvons alors y aller.

Avec ses panneaux enlevés, l'unité centrale ressemblait à un amoncellement de cartes reliées entre elles par des milliers de fils de toutes les couleurs. Les ingénieurs étalèrent en premier lieu les schémas par terre puis commencèrent à les comparer avec les cartes. Tandis qu'Hambler sortait, toujours avec précaution, une carte de son socle, Brunswick, lui, approchait le schéma correspondant pour le comparer. Cela durait quelques minutes, pendant lesquelles ils échangeaient quelques commentaires, puis ils passaient à la suivante.

Les laissant à leur recherche, j'allai rejoindre l'opératrice à sa table de travail, dans le fond de la pièce. Elle avait les deux pieds confortablement installés sur la table. Elle délaissa un énorme livre et eut un sourire engageant à mon égard.

— Vous allez trouver le bobo?

— J'espère qu'il n'y en a pas, ce n'est qu'une simple formalité de routine. Vous êtes Américaine?

— Difficile de cacher mon accent, n'est-ce pas? — Elle eut un petit rire en jouant dans ses cheveux courts. — Je viens de Dallas et j'étudie l'art contemporain à l'université McGill depuis bientôt un an. Si vous voulez mon avis, c'est beaucoup mieux qu'au Texas, et beaucoup moins cher.

— Et pourquoi pas New York?

— Et pourquoi pas Montréal? On est à l'étranger, mais tout près de la mère patrie.

— Qu'est-ce que vous lisez?

— Une rétrospective sur l'art de Duchamp, qui comprend la majorité de ses essais sur la sculpture, des photos de ses oeuvres, des commentaires d'autres artistes. Un livre très bien; vous le connaissez?

J'eus un geste vague, très diplomatique.

— Moi, mon business, ce sont les ordinateurs.

— Je m'en doute un peu quand je vous vois débarquer avec votre équipe. Qu'est-ce qu'ils cherchent au juste? Des explosifs?

— Ils cherchent le petit grain de sable. Que faites-vous la nuit, à part bouquiner?

— Mon travail, tiens. Je presse quelques boutons, et je laisse rouler cette mécanique toute la nuit. Je ramasse les rapports imprimés vers les quatre heures du matin et quelquefois je monte des bandes magnétiques. Si j'ai des problèmes, ou si la machine n'en fait qu'à sa tête, alors j'appelle Yves le sauveur. Voilà, c'est pas plus difficile. Voulez-vous que j'aille chercher du café pour vous et les ingénieurs?

— Excellente idée. Faites-le très fort, très noir, très bouillant et nous vous en serons très reconnaissants. Comment vous appelez-vous encore?

— Annie Mail. — Elle eut un sourire éclatant. — Pas mal pour une texane, non? Et vous, êtes-vous un extradé de Paris à Los Angeles?

— De Montréal. En effet, votre nom ne fait trop western.

— Bien aimable. Je vais aller chercher ces cafés.

Elle se leva avec souplesse, et je pus lire sur son chandail: I AM A COMPUTER'S BOSS. Je retournai à mes ingénieurs. Ils semblaient avoir progressé, ils en étaient rendus à la moitié du premier livre de schémas. Il leur en restait encore deux à vérifier; je calculai deux petites heures. En attendant le café, j'allai inspecter les mesures de sécurité du côté des portes blindées. Je cognai à la cage vitrée du gardien.

— Vous n'avez pas de mitrailleuse, là-dedans?

— Pourquoi faire, monsieur? Ces vitres sont blindées, et je possède deux téléphones.

— Et qui peut entrer?

— Les gens s'identifient verbalement à l'entrée de la première porte et ils doivent insérer leur carte dans la seconde. Si leur carte est refusée, ils sont coincés entre les deux portes et ils doivent s'expliquer.

— Tenez-vous une liste des entrées et des sorties du personnel?

— C'est inutile, les codes d'accès magnétiques sont enregistrés chaque fois qu'une carte est utilisée partout dans l'édifice.

— C'est Big Brother!

— Qui c'est ce type?

— Une compagnie de portes, merci.

Annie revint avec les cafés. Les ingénieurs trimaient toujours et ils la remercièrent vaguement, le nez plongé dans leurs cartes. Il faisait un froid sibérien dans la salle d'ordinateur et on entendait vibrer les climatiseurs. J'avais comme toujours oublié mon chandail de laine et je ne comprenais pas pourquoi tout le monde s'imaginait que ces machines fonctionnaient mieux sous le point de congélation. Tous ces maniaques de la Sécurité poussaient toujours les climatiseurs à fond, comme s'ils avaient aussi peur de la chaleur que des casseurs de banques de données.

Pendant qu'Annie se replongeait dans son ouvrage colossal, je consultai quelques livres techniques sur le TANDEM TXP. Enquêter dans des environnements informatiques toujours différents n'était pas de tout repos. Les fabricants n'arrêtaient pas de jeter de l'équipement dernier-cri sur le marché et certains clients changeaient d'ordinateurs comme d'autres de voitures sport. Il fallait sans cesse se recycler. Mais on ne réussissait pas à connaître tout ce qui sortait sur le marché et après un certain temps, il devenait difficile de garder la tête au-dessus du raz-de-marée technologique.

En entrant dans une nouvelle boîte, on devait apprendre le fonctionnement d'un nouvel ordinateur en un temps record, et mener l'enquête dans un même temps. Les ordinateurs finissent tous par se ressembler, mais il y a des limites. L'équipe de soutien devenait alors primordiale. On fonctionnait selon le plan d'attaque de «la pyramide». L'analyste principal devait avoir une vue d'ensemble du système et c'est lui qui décidait de la direction des recherches. Il était le seul à occuper vraiment le terrain et à avoir un contact régulier avec le client.

Les problèmes techniques étaient analysés de façon détaillée au deuxième et quelquefois au troisième niveau dans le cas d'une grosse équipe. Les résultats étaient rapportés à l'analyste principal qui prenait ensuite une décision. Dans mon cas, j'avais déjà lu une brève description de la machine fournie par notre centre de documentation et l'équipe de soutien devait me faire parvenir une étude plus complète. Pour les questions trop complexes, je n'avais qu'à les refiler à mon équipe. C'était à elle à se taper les nuits blanches pour essayer d'y comprendre quelque chose.

— Un appel du service de sécurité à l'entrée, monsieur Bourque, dit Annie. Monsieur Eddy Mark vous y attend avec du matériel.

— Je descends.

Anthony fumait nonchalamment une cigarette. Avec mon approbation, le gardien le laissa pénétrer. Comme toujours, il était habillé de vêtements amples — ce qui lui donnait toujours l'air d'avoir maigri —, de couleur neutre et de bonne coupe.

— Salut, Eddy.

— Salut, Alain. Où veux-tu l'équipement?

— Aide-moi à le monter au troisième, nous le

mettrons dans mon bureau.

— C'est bouclé, ce bureau? Parce qu'il y en a pour un joli paquet.

— Tout est ultra-bouclé ici, tu n'as pas à t'en faire. Ça fait beaucoup de valises?

— Cinq, et elles ne sont pas légères.

Nous avons d'abord transporté le matériel de la camionnette jusque dans le hall. Il y avait cinq valises en métal fermées à clé, que nous avons mises dans l'ascenseur pour les monter au troisième étage. Malgré les offres du gardien, Anthony ne voulut pas de son aide.

— Je suis responsable du matériel jusqu'au troisième, dit-il. Si tu veux le faire trimballer par cet imbécile, en risquant qu'il l'échappe dans un escalier, c'est ton affaire. Mais pas tant que je serai là.

Il était tout de même très essoufflé et il en profita pour blâmer la cigarette, en oubliant comme toujours son tour de taille. Quand les valises furent déposées contre un mur du bureau, je fis un rapide inventaire pendant qu'Anthony se reposait dans un fauteuil.

— Tu devrais te taper quelques parties de tennis avec l'équipe, Anthony.

— Tu parles! À six heures du matin.

— C'est le seul moment où tout le monde peut se rencontrer. Tu as déjà entendu parler d'un rendez-vous d'affaires à six heures du matin?

— Tu me vois courir après une balle? Alors, ce matériel, il est complet?

— On devrait pouvoir se débrouiller.

Il y avait bien sûr l'analyseur de ligne dernier cri qui pouvait intercepter, contrôler, simuler n'importe quelle ligne de télécommunication, le détecteur d'écoutes pour découvrir si une ligne était tapée, l'oscilloscope, le détecteur de signaux acoustiques ainsi que le détecteur de radiations qui permettait de capter les radiations d'un écran cathodique au travers d'un mur de béton. De quoi faire paniquer n'importe quel douanier normal.

— Dis, Anthony, tu ne dois pas avoir de problèmes à passer des walk-man en douce à la douane. T'as un truc?

— Simple question d'organisation, mais c'est une chance que la filière soit fonctionnelle à vingt-quatre heures d'avis, dit Anthony avec un air ennuyé. Cette opération a été montée à la va-vite, beaucoup trop vite à mon goût.

Il se leva avec un soupir et entreprit de remonter négligemment sa ceinture pour mieux l'ajuster à son tour de taille.

— Si tu le permets, je retourne à l'hôtel, il se fait tard. Si tu as besoin de mes services, je suis à New York avec l'équipe de la Save Bank.

— Comment ça se présente là-bas? demandai-je en lui ouvrant la porte.

Il eut l'air encore plus ennuyé.

— Si tu veux mon avis, on patauge. La situation là-bas est difficile. La Save est reliée à un réseau national de comptoirs inter-banques et il se passe de drôles de choses sur ce réseau. Bonne nuit, Alain.

— C'est ça, bonne nuit, Anthony.

Sal Brunswick vint à ma rencontre dès mon retour dans la salle d'ordinateur. Il était en chemise, son col grand ouvert, et semblait fatigué.

— Nous en avons terminé avec le matériel, monsieur Bourque. Tout est négatif de ce côté, nous avons tout vérifié dans les moindres détails. Rien n'a été enlevé, modifié ou ajouté dans cet ordinateur, nous pouvons vous l'assurer. Nous allons maintenant nous occuper du micro-code.

— Vous sentez-vous d'attaque, monsieur Brunswick?

Il esquissa un sourire las, tout en jouant avec ses lunettes comme pour leur trouver la place la plus confortable sur son grand nez.

— C'est mon métier! D'ailleurs, vous devez être aussi fatigué que moi. Mais n'ayez crainte, tout sera prêt pour demain matin. Un petit café pour Mike et moi, puis nous nous remettons au travail. Tenez, voici justement Annie qui revient avec notre café. Gentille opératrice, n'est-ce pas? Elle ressemble à ma fille.

Nous prîmes notre café des mains d'Annie, et Brunswick dut forcer la main à son assistant pour qu'il s'arrête un moment.

— Ces jeunes dans la vingtaine, dit Brunswick en souriant, ne comprennent pas encore qu'il est nécessaire de se reposer systématiquement dans ce métier. C'est comme si on resynchronisait nos bougies d'allumage à intervalles réguliers. Mais peut-être ne pense-t-il qu'à se payer une nouvelle voiture sport avec la prime promise?

— Faut comprendre, dit Hambler en recevant son café de Brunswick, c'est assez rare que l'on nous offre une aussi bonne prime.

— Travaillez-vous avec Buddy Johnson depuis longtemps? demanda Brunswick.

— Depuis un bout de temps. Vous le connaissez?

— De réputation seulement.

Il eut un petit rire.

— Al Passey, de Check-Data, voulait faire imprimer une affiche avec la photo de Johnson portant cette inscription: «Achèteriez-vous un ordinateur usagé de cet homme?» Il disait que la respectabilité du milieu était déjà assez basse, mais qu'elle avait encore baissé d'un cran avec l'arrivée de Johnson.

— Et elle baissera encore, dis-je en souriant. Que disait-il d'autre?

Brunswick me regarda au-dessus de ses lunettes avec un petit air malicieux.

— Passey disait qu'il y avait plus de gros bras que d'informaticiens à la Data Security, mais que de toute façon la Data enquêtait sur chacun de ses employés au moment de leur embauche pour s'assurer qu'ils avaient bien un casier judiciaire.

Cette fois, je ne pus m'empêcher de rire.

— Buddy a toujours parlé en bien de Passey, mais peut-être était-ce parce qu'il était en train de lui piquer tous ses clients. Il disait de lui qu'il était trop gentleman pour faire fortune.

— C'est possible. De toute façon, ce sont les affaires. Mais j'aimerais bien le rencontrer. Ce type d'homme m'a toujours impressionné et croyez-moi, il est difficile de faire perdre son calme à un homme comme Passey.

— Chercheriez-vous un emploi par hasard, monsieur Brunswick? Buddy Johnson est toujours à la recherche de bons éléments.

— Non merci, répondit-il en souriant, je me trouve très bien où je suis. Mais, assez parlé, il faut continuer. Mike, nous allons regarder de plus près le micro-code. Cette fois, nous allons nous partager le travail.

Je laissai les ingénieurs à leurs recherches et allai m'asseoir à la table de travail, face à Annie Mail toujours plongée dans son bouquin. L'inimitié de Passey envers Buddy se comprenait. On ne faisait pas de cadeau dans ce milieu, Buddy encore moins que quiconque. Passey était connu comme le gentleman de la côte est, mais tout est relatif. Il oeuvrait au milieu de respectables institutions où les conseils d'administration pointilleux ne voulaient jamais se compromettre dans quoi que ce soit, mais n'en exigeaient pas moins des résultats. Lorsque ceux-ci se faisaient attendre, on n'avait d'autre choix que de faire appel à des compagnies plus agressives. La Data Security était de celles-là.

Buddy Johnson, comme d'autres entrepreneurs du même genre, n'était pas le type de relations que recherchait Al Passey, universitaire distingué, auteur de nombreux ouvrages qui faisaient autorité dans le milieu de la sécurité informatique. J'avais bien sûr lu tous ses livres et assisté à certaines de ses conférences. Mais comme toujours, la réalité était toute différente lorsqu'il s'agissait de passer à l'action.

Passey imaginait l'enquête informatique comme une partie d'échecs. Cette représentation était assez exacte lorsqu'il s'agissait de fraudes financières effectuées par des individus isolés, mais elle l'était beaucoup moins dans le cas d'espionnage industriel.

Je me replongeai dans les documents techniques du TANDEM TXP, ne lisant que ce qui me semblait le plus pertinent, afin d'avoir une vue d'ensemble, le plus rapidement possible. Je m'attaquais au deuxième tome lorsque Annie Mail leva la tête de son bouquin.

— Aimez-vous Los Angeles?

— Il fait chaud, il y a la mer et du travail intéressant. Que demander de plus?

Elle me regarda un instant.

— En effet, dit-elle.

Ne tenant pas compte que je m'étais remis à lire, elle enchaîna après un moment de réflexion.

— Moi, j'aime bien Montréal. Quand on vient de Dallas, c'est presque le paradis. Et puis, qui voudrait d'une maîtrise sur l'art contemporain complétée à Dallas, hein? Ça ne ferait pas sérieux. La réalité est encore pire que ce qu'on voit dans cette émission stupide. C'est très bien ici, l'ambiance européenne est agréable, et le coût de la vie est relativement bas. Une situation idéale pour une étudiante toujours fauchée comme moi.

J'étirai mes jambes sous la table et posai ma nuque sur le dossier de la chaise. Il était presque cinq heures du matin. Je commençais à avoir de la difficulté à me concentrer, mais les ingénieurs, eux, avaient l'air de bien tenir le coup. Ils étudiaient les imprimés d'ordinateur depuis bientôt trois heures sans désemparer et discutaient quelquefois avec animation. Hambler était le plus excité des deux mais Brunswick avait toujours le dernier mot. Puis ils se replongeaient dans leurs imprimés. Je me tournai vers Annie.

— Vous êtes un oiseau de nuit, Annie. Vous semblez en pleine forme et il est presque cinq heures du matin. On dirait que vous avez fait ça toute votre vie. Comment avez-vous déniché ce travail?

— En lisant les petites annonces, comme tout le monde. J'avais une certaine expérience des ordinateurs, que j'ai un peu gonflée, mais Yves m'a tout montré.

— Et Yves, travaille-t-il souvent la nuit?

— Assez régulièrement. Il lui arrive parfois de traquer un problème jusqu'aux petites heures du matin. Il n'abandonne jamais, il est formidable!

— Qu'est-ce que ça veut dire, régulièrement?

— Une ou deux fois par semaine.

C'était beaucoup, mais ça ne voulait rien dire. Quel informaticien méticuleux ne passe pas une nuit ou deux après sa machine? Et puis peut-être restait-il autant pour Annie que pour son ordinateur.

Je m'attelai sans trop de conviction à ce deuxième volume dont je finis par sauter carrément les pages, ne m'attardant qu'aux gros titres. À six heures du matin, les yeux rougis, les ingénieurs vinrent me faire part de leurs conclusions. Brunswick n'arrêtait pas d'enlever ses lunettes, et de les remettre après s'être frotté les yeux.

— Au grand regret de mon coéquipier, dit-il, tout est négatif. Rien n'a été trafiqué, ni le micro-code, ni les programmes de sécurité et d'accès aux données.

— Selon vous, quelles sont les possibilités d'erreur?

Brunswick eut un sourire fatigué et un éclair de malice brilla dans ses yeux.

— Nulles, mais j'ai dû dissuader mon coéquipier d'implanter lui-même une commande truquée.

— Vous n'avez aucun souci à vous faire de ce côté,

dit Hamber en souriant. S'il y avait quelque chose dans cette machine pouvant justifier nos vingt mille dollars, nous l'aurions trouvé.

— Eh bien merci, messieurs. Vous recevrez vos honoraires dans quelques jours, vous les avez bien mérités. Désirez-vous que l'on vous appelle un taxi?

Je demandai à la sécurité de nous appeler une voiture que j'allai attendre à la porte principale en compagnie des ingénieurs. Après une dernière poignée de main, je rentrai à l'hôtel à pied.

Il commençait à faire jour et je marchais d'un bon pas. J'étais fatigué mais déjà je ne ressentais plus cette lassitude, cet épuisement que ni le sommeil, le tennis ou le whisky ne réussissent à chasser. Plus rien n'avait d'importance, hormis ces résultats qu'il me fallait obtenir à tout prix.

J'entrai rapidement à l'hôtel et montai directement à ma chambre. Plusieurs messages m'attendaient sur le micro-ordinateur. J'insérai le codeur-décodeur et pus prendre mes messages.

Le premier venait de Buddy qui demandait de le contacer à une certaine adresse du réseau. Il me demandait un rapport sur mes recherches de la journée. Quelque chose de concret, spécifiait-il, afin de donner du solide à Fenders lors de leur rencontre prévue pour cet après-midi à Toronto.

Le second message était de Peters. L'équipe de soutien avait terminé son étude préliminaire du TANDEM TXP et le micro-ordinateur en avait reçu copie par programme de réception automatique. L'équipe attendait mes directives et travaillait entre-temps sur le simulateur afin de se familiariser avec la machine.

J'envoyai d'abord un premier message à Peters, l'informant des résultats négatifs des recherches effectuées par les ingénieurs et lui précisai que je m'attaquerais dès demain aux télécommunications. Puis je rédigeai un rapport pour Buddy. Je n'avais pas grand-chose à dire, et je pris la peine de transmettre les remarques de Passey sur son compte. Cela lui ferait sûrement plaisir.

IV

Premiers contacts

Dès mon réveil, je me précipitai dans la douche. Je devais d'abord débrancher le micro-ordinateur. Il n'avait pas dérougi de la nuit, recevant le résumé technique préparé par l'équipe de soutien. L'imprimante avait beau être l'une des plus silencieuse sur le marché, les portes vitrées de la douche n'avaient pas été de trop pour me couper du cliquetis infernal. Il s'agissait maintenant de ne pas faire partir la douche par mégarde, pour ne pas bousiller quinze mille dollars de matériel, comme cela m'était déjà arrivé quelques années auparavant.

Le document reçu faisait à peine cent pages; c'était un véritable chef-d'oeuvre d'information condensée, surtout quand on songeait à la complexité d'un ordinateur du type utilisé à la Transit. Je le rangeai dans ma mallette sans me donner la peine de le feuilleter, car je ne pouvais rien lire d'autre que les pages sportives avant le petit déjeuner.

J'appelai la réception pour commander mon petit déjeuner. L'employé me fit part d'un message laissé par un certain monsieur Johnson. Celui-ci m'attendait à la salle à manger de l'hôtel.

— Si monsieur désire y donner suite, votre petit déjeuner vous sera servi à la table de monsieur Johnson.

— Je descends, merci.

La ponctualité de Buddy ne me surprenait pas. Il n'était certes pas le type à attendre patiemment qu'un de ses informaticiens daigne se lever, mais tous, nous avions les mêmes horaires à la Data. Aucune heure précise pour se coucher, évidemment, mais jamais de lever avant dix heures. Les clients veulent des résultats mais aiment aussi constater que les choses évoluent. Pas question pour eux de venir rencontrer leurs consultants trop tôt le matin.

Buddy était déjà attablé devant une énorme assiette d'oeufs et de jambon et il avait déposé son veston sur le dossier d'une chaise où reposait son éternelle mallette-téléphone.

— Bon réveil? demanda-t-il après avoir pris une gorgée de café. J'arrive de New York par l'avion de sept heures. Très drôles, ces réparties de Passey à notre sujet, d'autant plus que je suis depuis quelques jours en pourparlers avec son principal client, la Continental America Bank.

— Cela n'avance pas assez rapidement chez eux? demandai-je tout en recevant mon assiette des mains du serveur.

— Passey éprouve certaines difficultés qu'il cache habilement au conseil d'administration. Son enquête durera plus longtemps que prévu et il leur lance un rideau de fumée à la figure.

— Nous faisons tous ça. Qu'y a-t-il de spécial avec la Continental?

— Il y a que je connais précisément les points faibles de l'argumentation qu'il se prépare à présenter au conseil. Ces messieurs poseront des questions embarrassantes. Bien sûr, ajouta-t-il avec un sourire, nous éprouverons les mêmes difficultés que Passey, mais de notre côté, personne n'en entendra parler.

J'émis un petit sifflement.

— Eh bien, cela voudrait dire que nous avons quelqu'un chez Passey, à moins que tu n'aies truffé sa chambre à coucher de micros?

— Tu connais mon principe: ne jamais mélanger travail et plaisir. Donc, pas de micros dans la chambre à coucher. Toutefois, ajouta Buddy avec un air de satisfaction tout en installant confortablement ses pieds sur la chaise en face, si le type décide de faire la cour à sa secrétaire dans son bureau et que le micro a été placé sous son fauteuil, là ce n'est pas la même chose. La morale est sauve.

Buddy avait toujours eu ce petit côté moraliste, qu'ont d'ailleurs rarement pu découvrir les gens qui font affaires avec lui.

— Alors, dit Buddy, et cette Monnaies Transit?

— La mécanique est en ordre, on peut dire que le micro-code est propre, avec un pourcentage d'erreur raisonnable. À première vue, la Transit ne possède aucun spécialiste de calibre, à part Adams, pour effectuer un torpillage de la machine.

— Pas mal pour une première journée! Et comment comptes-tu procéder dans les prochains jours?

— Il me faudra deux jours pour me familiariser avec l'environnement, puis je remonterai la filière de toutes les opérations reliées à cet investissement minier du Manitoba, qui a mis la puce à l'oreille aux dirigeants de la Transit.

— Dis plutôt qu'on leur a crié ça dans les oreilles, répliqua Buddy. Curieux que leurs compétiteurs aient pris si peu de précautions; ils ont annoncé presque publiquement qu'ils avaient une entrée à la Transit en communiquant directement avec ce client dont l'identité était supposément secrète.

— Oui, et cela m'inquiète. Ou bien ils sont sûrs de leur coup et la porte que j'ouvrirai en remontant la filière donnera sur un mur, ou bien il s'agit d'une lutte de pouvoir entre gros actionnaires ou administrateurs de la direction. Dans ce dernier cas, l'information peut bien avoir été refilée de l'intérieur dans le but de provoquer des remous. Tu as des informations sur les actionnaires de la Transit?

— Taylor travaille là-dessus. Il dresse l'organigramme d'une série de sociétés-écrans afin d'identifier les vrais propriétaires. Mais laisse-moi cette partie du travail et occupe-toi de l'aspect technique, tu en as déjà plein les bras.

— À propos, tu sais que Fenders ne me donne que deux semaines?

— Ils exigent des miracles, mais ils paient en conséquence. Je rencontre Fenders à Toronto cet après-midi et nous rediscuterons des délais. Mais donne quand même le maximum, nous devons obtenir des résultats, ne serait-ce que pour demander une prolongation de notre mandat. D'autre café?

J'acquiesçai. À chaque nouvelle mission, j'avalais des quantités formidables de café, soit à peu près un par heure. Ce qui ferait grogner tout médecin consciencieux.

— À mon avis, dit Buddy, remonter cette filière est une bonne idée. On devrait tomber sur un bon filon. L'idéal, bien sûr, serait qu'une nouvelle fuite se produise pendant que tu es dans la place. Tu pourrais ainsi remonter la piste à chaud.

— Ce serait excellent, en effet. À condition que les compétiteurs ne sachent pas que je suis en chasse. S'ils ont une oreille dans la place, ma couverture ne tiendra pas longtemps... Déjà que ce Adams se doute de quelque chose.

— Bien sûr, le délai de deux semaines ne laisse pas beaucoup de place pour la subtilité et les gants blancs. On devra soulever beaucoup de poussière en peu de temps: difficile de passer inaperçu! Quelque chose d'autre?

— L'équipe de soutien m'appartient-elle en propre?

— Corps et âme, jours et nuits. Tu remarqueras que

pour ce contrat, j'ai recruté les meilleurs éléments.

— Bien. Je désire aussi les résultats complets de l'enquête de la Transit sur Adams; je veux tout savoir sur ce type.

— Demande ça à Harvey, le vice-président, il n'a rien à te refuser.

— Sauf le nom des actionnaires, dis-je en vidant mon café d'un trait.

— Évidemment, dit Buddy en déposant ses pieds par terre. Voudrais-tu, en outre, qu'il te fournisse la corde pour le pendre? Allez, on reste en contact à la même adresse-réseau.

Adams avait effectué le travail demandé. Une prise de télécommunication rapide ainsi qu'une fiche d'entrée pour communiquer avec l'ordinateur pendaient des panneaux soulevés du faux plafond. Je déposai mon micro-ordinateur sur le bureau, branchai la prise de télé-communication puis entrai rapidement en communica-tion avec Los Angeles. J'avais Peters à l'autre bout.

Peters
Bienvenue à la Data, tu as besoin de quelque chose?

Alain
Pour commencer, il me faut un programme pour établir une communication entre mon micro-ordinateur et le TANDEM. Pouvez-vous me concocter ça en quelques heures?

Peters
On va refiler ça à John, il adore ce genre de truc vite fait.
Avec une composante pour transmettre l'information du
TANDEM à la Data en passant par le réseau transaméri-
cain, je suppose?

Alain
Bien vu. Quand?

Peters
Cet après-midi. Tu recevras le tout par courrier électronique; branche ton micro en mode de réception automatique. Que penses-tu du résumé que nous t'avons
envoyé sur l'ordinateur?

Alain
Pas eu le temps de le lire, je me le taperai cette nuit. À
quoi ressemblent les télécommunications sur cette
machine?

Peters
Tout est dans le résumé, mon ami. Nous avons passé la
nuit dessus. Inutile de bosser si tu ne lis même pas ce que
l'on t'envoie.

Alain
Résume le résumé, Peters. Quelques indications de base
me suffiront pour brancher l'analyseur de ligne et le
détecteur d'écoute sur les lignes de télécommunication.

Peters
Pages 56 à 64.

Alain
Va te faire foutre.

Je coupai la communication et rempochai le codeur. Ce Peters avait un caractère impossible, mais c'était le prix à payer pour n'avoir aucun souci à me faire avec mes arrières techniques. Du système de son à l'ordinateur de combat, on pouvait lui demander n'importe quoi. S'il ne possédait pas l'information, il saurait où la trouver. Peters possédait des contacts dans tous les milieux de l'informatique et comme dans ces milieux, un service ou un échange d'informations était toujours remboursé un jour ou l'autre, on s'entraidait.

Mais avant de lire ce document et d'installer mon matériel de détection, je devais m'assurer de quelques petites choses. J'appelai d'abord le responsable du service de sécurité.

— Monsieur Beauchamp? Alain Bourque à l'appareil; avez-vous reçu des directives à mon sujet?

— Exact, monsieur.

La voix était calme, un peu militaire.

— Pourriez-vous les répéter, je vous prie?

— Pendant la durée de votre mandat, vous avez la haute main sur le service de sécurité informatique et vous êtes libre de vos allées et venues partout dans l'édifice.

Harvey manquait quelque peu de finesse dans ses directives; c'était la meilleure façon de laisser savoir que j'étais en chasse, mais au moins il avait le mérite d'être clair.

— Existe-t-il d'autres personnes au courant de ces directives?

— Aucune, monsieur. Monsieur Harvey a été très explicite: ceci doit rester entre nous.

Voilà qui était mieux.

— Merci. Pourriez-vous maintenant m'indiquer les

noms des personnes autorisées à pénétrer dans la salle d'ordinateur?

— Vous-même, les opérateurs, madame Mercier, messieurs Harvey, Adams, Mankowitch et moi-même.

— Ces directives sont modifiées et prennent effet immédiatement. Dès maintenant, y seront seulement autorisés messieurs Harvey, Adams, moi-même, de même que les opérateurs durant leur quart de travail uniquement. Avez-vous une objection?

— Aucune, monsieur.

— Bien. Vous expliquerez aux personnes concernées que ce resserrement de la sécurité a été décidé par monsieur Harvey, à la suite de mes recommandations. Essayez de prendre le ton de celui qui ne s'émeut pas des recommandations que peut formuler un consultant après seulement une journée de travail, ne serait-ce que pour faire son petit spectacle devant la direction. Vous voyez le genre?

— Parfaitement, monsieur Bourque, dit Beauchamp avec un petit rire. J'ai l'habitude de ce type de consultant, sans vouloir vous offenser bien sûr.

— Oui, mais ne les jugez pas trop sévèrement. Chacun doit gagner sa vie, pas vrai. Merci de votre collaboration.

Comme ne restaient plus, dès à présent, que les opérateurs et Adams à pouvoir pénétrer dans la salle d'ordinateur, ceux-ci devenaient par conséquent les seuls à pouvoir modifier les résultats des appareils d'écoute. Rares étaient les opérateurs assez compétents pour se charger de ce travail; restait Adams.

Je contactai Harvey par téléphone.

— Bonjour, monsieur Harvey, je voudrais consulter le rapport de l'enquête effectuée sur Yves Adams.

— Je n'y vois aucune objection, monsieur Bourque, mais je vous précise tout de suite que cette enquête n'a rien apporté de concret.

— C'est tout simplement que j'ai envie de cerner le personnage, j'aime toujours connaître les gens compétents qui m'entourent. Simple habitude de travail.

— Madame Riopelle vous l'apportera à votre bureau dans une enveloppe scellée. Je vous demanderais de ne consulter ce dossier que dans votre bureau, et de manière confidentielle. Ce genre de document fait toujours mauvaise impression sur le personnel, vous comprenez?

— Je comprends parfaitement. Autre chose: dès demain, j'aimerais m'attaquer à cette fuite de renseignements concernant les terrains miniers et remonter la filière des opérations. Cela me semble une piste sérieuse. J'aurais besoin de toute l'information nécessaire; de qui puis-je l'obtenir?

— J'avais prévu votre demande. Madame Mercier vous assistera, elle rassemble présentement tous les éléments concernant cette affaire. Vous aurez droit à son entière collaboration. Que puis-je encore pour vous, monsieur Bourque?

— Rien pour le moment, merci. Avez-vous été informé des résultats du travail des ingénieurs?

— Je viens d'avoir un entretien téléphonique avec messieurs Fenders et Johnson. Monsieur Johnson nous en a révélé les résultats.

— Alors merci, monsieur Harvey.

Je pouvais y aller. Je commençai par expédier la partie télécommunication du document de Peters, puis je transportai mon matériel dans la salle d'ordinateur. J'installai d'abord les analyseurs de lignes sur chacune des deux lignes de transmission de la machine. La première pour les communications continentales, les États-Unis et le Canada, la seconde pour les destinations transatlantiques. Toute communication sur ces deux lignes serait automatiquement enregistrée sur bandes magnétiques.

Je calculai qu'au nombre de transactions effectuées

quotidiennement par la Monnaies Transit, je devrais changer les bandes des analyseurs tous les jours. L'équipe de soutien placerait ensuite ces enregistrements sur le simulateur afin d'analyser le comportement de l'ordinateur selon différentes situations simulées. La probabilité la plus intéressante serait qu'un nouveau détournement d'information ait lieu justement pendant l'enregistrement. Une fois en possession de ces enregistrements, ma recherche s'en trouverait allégée.

Je branchai ensuite le détecteur d'écoutes sur la ligne de transmission continentale. Il était inutile pour l'instant de s'occuper des communications transatlantiques, trop de facteurs non vérifiables pouvaient entrer en ligne de compte, sans parler des communications par satellite. Le détecteur serait à l'affût de tout bruit suspect, dût-il provenir d'un simple préposé à l'entretien de la compagnie de téléphone ou d'une personne non autorisée.

Une rapide vérification auprès des services téléphoniques mettrait fin à l'ambiguïté. Cependant, si la ligne était sous écoute permanente, sans aucune manipulation physique, le détecteur ne s'apercevrait de rien, mais il valait la peine d'essayer.

Après avoir vérifié une dernière fois le matériel, je commençai à me familiariser avec l'ordinateur à l'aide du résumé technique fourni par l'équipe de soutien. Je passai en revue les diverses commandes de contrôle, la gestion des fichiers privés et les différentes possibilités de télécommunication de la machine.

J'en étais à ce stade-ci de mes recherches quand Lucie Riopelle m'appela sur la ligne intérieure: elle désirait me remettre un dossier à la porte de la salle. Je laissai là mon travail et allai étudier le dossier d'Adams dans mon bureau. C'était déjà la fin de l'après-midi.

Ce dossier était plus que complet, et il témoignait du professionnalisme et du sérieux des méthodes d'enquête de la Transit. Le rapport tenait sur une vingtaine de pages, faciles à lire et bien disposées. On y décrivait Adams par le menu.

On analysait d'abord ses avoirs et ses ressources financières, ses principales dépenses des derniers mois, ses relevés de crédit et ses comptes bancaires. Adams équilibrait magnifiquement ses revenus et ses dépenses, et il avait une prédilection pour les bons du Trésor. Rien à signaler de ce côté.

Ses relations avaient été passées au peigne fin, et aucune d'entre elles n'avait démontré quoi que ce soit de suspect. On ne lui connaissait pas de petite amie et ses fréquentations se recrutaient principalement parmi ses anciens confrères d'université. Il entretenait des relations purement professionnelles avec ses confrères de travail, à l'exception d'Annie Mail, l'opératrice de nuit. Il lui arrivait souvent de travailler tard la nuit, et il terminait ces soirées de dur labeur au *Classic Night's Bar*, dans l'ouest de la ville, avec Annie Mail. Par contre, leur amitié ne semblait déboucher sur rien de plus intime, et on ne les avait jamais vus rentrer ensemble à la fin de la nuit, même si Adams la raccompagnait, à chaque fois, dans sa petite voiture japonaise. Sur Annie Mail, rien de sérieux n'avait été découvert et une note renvoyait à son dossier.

Bref, Adams semblait mener une vie tout à fait ordinaire, si ce n'était sa passion pour les lunettes. Il en possédait une cinquantaine de paires, dont certaines étaient de véritables pièces de collection. On faisait remarquer qu'elles étaient toutes équipées de verres adaptés à sa vue, ce qui avait dû coûter une petite fortune, mais était dans les limites de ses possibilités.

On signalait, à mots couverts, qu'un travail d'«écoute et d'exploration», en d'autres mots une ligne téléphonique tapée et un appartement fouillé de fond en comble, n'avait rien apporté de concret.

Une brève étude psychologique du comportement

s'attardait surtout à ses habitudes de dépenses et s'adressait principalement à ses banquiers. Il n'y avait pas grand-chose à dire, semblait-il, et l'enquêteur signalait, faute de mieux, l'étrange habitude d'Adams de tout payer comptant, de sorte que ses relevés mensuels de crédit ne dépassaient jamais cinq dollars, alors qu'il gagnait plus de mille dollars par semaine.

Dans l'ensemble, il s'agissait d'un dossier bien monté et je regrettais seulement de ne pas y trouver les potins habituels que l'on recueille toujours parmi les collègues de travail.

J'appelai Lucie Riopelle afin qu'elle vienne reprendre possession du dossier avant la fermeture des bureaux. Elle se présenta cinq minutes plus tard.

— Il est près de cinq heures, dis-je: permettez que je vous invite à dîner.

Elle eut un sourire consolateur tout en s'emparant de l'enveloppe scellée.

— Désolée, mais je dois rencontrer un client pour dîner.

— Le milieu des affaires exige de nombreux sacrifices. Permettez alors que je vous invite pour demain.

Elle mit l'enveloppe contre sa poitrine et sourit encore plus gentiment.

— J'ai de très nombreux clients à soigner, me répondit-elle sur un ton très «vétérinaire». Je suis malheureusement une femme très occupée. Mais je peux vous indiquer un bon endroit: *Chez Bouffe*, pas très loin d'ici. De la bonne nourriture et pas chère.

— Alors, merci du conseil, dis-je. J'y descends immédiatement. Faisons un bout de chemin ensemble.

Après l'avoir raccompagnée à l'ascenseur, je descendis par les escaliers et j'allai avaler un steak audit restaurant, tout en méditant sur la personnalité d'Adams. Il n'y avait pas de raison de ne pas le garder à l'oeil, mais on devait convenir que son profil ne correspondait pas du tout au pirate classique ou au fraudeur de grande classe. Je m'en réjouissais car il serait nécessairement au courant de tous mes mouvements. Je ne pouvais le tenir à l'écart de l'ordinateur, son rôle d'analyste technique étant primordial, et il verrait rapidement où je voulais en venir.

Alors, qui soupçonner d'autres? Les candidats aux soupçons se faisaient rares. De toute façon, cela ne changeait pas grand-chose au problème fondamental. Tant que je n'aurais pas découvert comment on s'y était pris pour faire sortir l'information, je perdrais mon temps à spéculer sur l'identité d'une taupe ou d'un compétiteur.

Le bureau baignait dans l'ombre, à l'exception de la trouée produite par le mince faisceau de la lampe de travail braquée sur le résumé de Peters. Les lignes d'instructions, en vert, défilaient rapidement sur l'écran, les commandes à l'ordinateur s'effectuant sans heurt, et je commençais à manier avec aisance les fenêtres d'accès aux informations de la Monnaies Transit.

Il était près de quatre heures du matin, le cendrier était dangereusement plein de mégots encore fumants et la cafetière était vide. J'arrêtai l'ordinateur sur une information concernant l'achat d'un immeuble par une filiale de la Transit, puis m'accordai une petite pause. J'avais les yeux brûlés par le vert phosphorescent de l'écran et le dos raide à force de me tenir penché vers l'avant. Je me calai profondément dans mon fauteuil et m'offris un repos bien mérité.

Le système de la Transit commençait à m'apparaître dans son ensemble et ma foi, il ne me semblait pas en si mauvais était. Bien sûr, on aurait pu faire mieux. Mais on avait préféré le renforcement du contrôle sécuritaire à la souplesse. Ce système me semblait des plus étanche, il fallait bien l'admettre.

Premièrement, pour entrer en communication avec l'ordinateur, il fallait donner le classique mot de passe. Rien de très génial jusque-là. Mais cela se compliquait par la suite. Si on voulait, par exemple, obtenir de l'information concernant une transaction immobilière effectuée par une compagnie filiale, il fallait préalablement repérer cette filiale à l'aide d'une fenêtre. Puis apparaissait un mini-écran proposant différents choix d'information à consulter. On avait tout d'abord droit à une première page de renseignements d'ordre général. Si on désirait plus de détails, il fallait fournir soi-même des données supplémentaires en rapport direct avec cette transaction: soit le montant total de la transaction, soit le nom du propriétaire de l'immeuble acheté, etc. Ainsi, l'information n'était accessible qu'à ceux qui en connaissaient déjà les principaux paramètres, ou «données-clés», terme utilisé par la Safe General, la compagnie qui avait implanté cette trouvaille.

Je me levai et décidai d'aller faire un tour dans la salle d'ordinateur afin de jeter un coup d'oeil sur les analyseurs de ligne. Je saluai le gardien dans sa cage vitrée, enclenchai ma carte dans la serrure magnétique de la deuxième porte blindée, et me dirigeai vers les analyseurs. La salle était déserte à l'exception d'Annie Mail qui s'occupait dans le fond de la salle, du côté des unités de bandes magnétiques. Je me penchai sur les appareils. Les analyseurs faisaient leur travail, enregistrant toutes les communications sur mini-cassettes et on pouvait suivre les communications en direct, car elles apparaissaient sur les écrans des analyseurs.

— Qu'est-ce que c'est que ce truc? demanda Annie Mail qui s'était approchée.

— C'est pour savoir si votre ordinateur a la grippe, dis-je.

— Eh bien! dit-elle en s'avançant.

— Un conseil, dis-je gentiment. Si vous y touchez, je vous étrangle. Et ce sera monsieur Harvey en personne qui maniera la pelle pour mettre votre cadavre dans le trou.

— Je n'y toucherai pas, dit-elle en reculant, monsieur Harvey me fout une trouille terrible. Tant qu'à vous, et sans vouloir vous vexer, vous ne faites pas un étrangleur très sérieux.

— Je le prends comme un compliment. Vous sembliez avoir des problèmes avec ce dérouleur de bandes, est-ce résolu?

— Non, dit-elle avec un air buté, ce fichu ruban ne veut pas s'enrouler correctement et je ne sais pas où est passé Yves.

— Il travaille encore à quatre heures du matin?

— Oui, il pioche sur un quelconque truc de mémoire, quelque chose qui nuirait à la performance de l'ordinateur, m'a-t-il expliqué. Je n'ai pas saisi grand-chose sauf qu'il devait mettre la machine en panne afin de procéder à des essais.

— Voulez-vous que j'essaie pour ce dérouleur?

— Pourquoi pas, c'est celui de gauche.

Je me dirigeai vers le dérouleur et essayai à mon tour. Il y avait vraiment quelque chose de détraqué et je ne réussis pas à le faire démarrer correctement.

— Vous n'y arriverez jamais de cette façon, dit Annie. Laissez-moi essayer encore une fois. Merde à la fin, quand se décidera-t-on à envoyer cette machine à la casse? dit-elle après un dernier essai infructueux.

— Bonsoir, dit Yves en s'approchant. Encore des problèmes avec ce dérouleur?

— Tu parles, dit Annie, tu peux nous arranger ça?

— Bien sûr, dit Yves.

La nuit n'avantageait pas Yves Adams. Il avait l'air plus fripé que d'habitude et l'état de ses vêtements me faisait penser aux vagues de la mer. Il replaça avec soin ses épaisses lunettes sur son nez et entreprit d'enrouler minutieusement le ruban autour des têtes de lecture.

— C'est comme une vieille voiture, dit-il, il y a des trucs qu'il faut connaître. Bien, ça m'a l'air en ordre maintenant. Un petit essai, Annie?

Annie se dirigea vers la console où elle pianota quelques commandes. Le dérouleur démarra normalement et il commença à enregistrer l'information transmise par l'ordinateur.

— Splendide, dit Annie avec un grand sourire de satisfaction, je pourrai terminer ma nuit de travail dans quelques minutes. La dernière fois, cela m'avait pris près d'une demi-heure à faire démarrer ce fichu engin.

— Pourquoi ne le changez-vous pas? demandai-je à Adams.

— Nous nous payons de l'équipement dernier cri, mais nous avons des priorités. Ce dérouleur peut fonctionner encore quelques années. Il suffit tout simplement de le manier avec délicatesse, n'est-ce pas Annie?

Celle-ci lui adressa une grimace et Adams me montra les analyseurs du doigt.

— De votre côté, vous n'avez pas l'air de vous priver. Je n'ai jamais vu d'analyseurs de ce type; vous avez piqué ça à la CIA?

— J'y possède mes entrées, dis-je en souriant. Pourquoi travaillez-vous aussi tard?

— J'essaie présentement de démêler quelques trucs. Vous savez ce que c'est, on ne peut vraiment faire ce que l'on veut avec un ordinateur qu'après minuit, quand les usagers dorment tous.

Annie vint nous retrouver.

— Il est presque cinq heures du matin, dit-elle, et j'ai terminé ma nuit. Que diriez-vous de venir finir ça avec nous au *Classic*?

— Qu'est-ce que c'est?

— Un bar où l'on peut bouffer, dit Yves, et c'est ouvert toute la nuit. Excellente atmosphère pour finir une nuit de travail.

Un scotch à cinq heures du matin n'était certes pas pour me faire de mal, et tant qu'à le boire à l'hôtel...

— Pourquoi pas, dis-je.

Nous montâmes dans la petite voiture d'Yves et dix minutes plus tard nous y étions. Le bar était un peu moche d'aspect, mais sympathique. Nous nous sommes assis à une table recouverte d'une feuille de cuivre matelassée qui donnait contre les grandes vitres de l'extérieur. Je remarquai qu'Yves avait changé ses lunettes pour une magnifique paire fin de siècle.

— Elles sont pas mal, ces lunettes, dis-je. Pourquoi ne les portez-vous pas au travail?

Yves eut un sourire un peu gêné, mais on sentait que cela lui faisait plaisir.

— Yves a des lunettes pour le travail, dit Annie, et d'autres pour les occasions spéciales. Vous devriez voir sa collection, elle est extraordinaire! Plus de quarante paires, de tous les styles!

— J'espère que vous ne mangez pas beaucoup de carottes. Cela serait vraiment dommage d'améliorer votre vue.

— Pas de danger, je fais très attention. Je travaille toute la journée le nez collé à un écran cathodique et j'ai saboté un néon afin d'avoir un éclairage nettement insuffisant dans mon bureau.

— Vous seriez un excellent élément pour la sécurité. On vous a bien entraîné à prendre toutes vos précautions.

— Simple question d'affaires, dit Adams en souriant. J'ai englouti toutes mes économies dans ces lunettes. Je désire simplement un bon rendement sur mes investissements.

— Alors ça va, Annie? Et toi aussi, Yves? demanda

le serveur. Désirez-vous commander quelque chose?

— Toast-whisky, dit Yves.

— Croissants-cognac, demanda Annie.

— Entre trois et huit heures du matin, vous devez manger un morceau afin d'avoir droit de boire quelque chose, expliqua le serveur.

— Alors, apportez-moi un demi-melon et un scotch.

— Intéressante combinaison, apprécia le serveur.

— Il vient de Californie, expliqua Annie, comme si cela me résumait.

— Cela fait fureur comme petit déjeuner là-bas, expliquai-je, très nature.

— Alors ça devrait prendre ici. Nous l'introduirons dans le menu sous le nom de *California Breakfeast*. Je vous l'apporte tout de suite.

— Venez-vous souvent dans ce bar?

— J'y termine chaque fin de nuit, dit Annie. Il faut bien faire quelque chose avant de se mettre au lit, non? Yves m'accompagne quand il passe la nuit à la Transit. On prend un verre, on rigole, et puis dodo.

J'appréciai d'un signe de tête.

— Aimez-vous votre travail à la Transit?

— Bien sûr, dit Annie, même si ce n'est pas toujours drôle de travailler la nuit. Mais j'ai tout le temps que je veux pour lire, et puis je ne pensais jamais pouvoir dénicher un travail aussi payant.

— Et vous, Yves?

— Pas mal, pas mal. Puis-je goûter à votre melon avec mon whisky? demanda-t-il en dévisageant mon assiette d'un air intrigué.

— Allez, essayez. Comment est-ce les toasts avec le whisky?

— Très moche. J'ai déjà essayé une fois et vraiment, ce n'était pas une bonne idée.

— Et ce travail à la Transit?

— Très bien, dit Yves. On me laisse travailler toutes

les heures que je veux. Excellent, ce melon. Vraiment, ces Américains sont toujours en avance.

— Moi je reste aux croissants, dit Annie en trempant le sien dans son cognac. Pour combien de temps resterez-vous à la Transit?

— Je ne sais pas, quelques semaines tout au plus. Tout dépendra de ce que je trouverai comme failles dans la sécurité, et si les conclusions de mon rapport sont acceptées.

— Évidemment, dit Adams avec un clin d'oeil. Plus la durée de l'étude se poursuit, plus le chèque prend du poids. Vous connaissez sûrement la formule qui explique que les chèques des consultants s'alourdissent proportionnellement à la gravité des problèmes rencontrés, ce qui explique l'état lamentable de tous les services informatiques d'Amérique du Nord. Pour ce qui est des autres parties du monde, spécialement l'Europe, aucune statistique n'est disponible sur le nombre des consultants en opération, ce qui exclut donc toute évaluation objective des systèmes informatiques de ces régions.

— Je compte quand même sur vous pour alléger les conclusions de mon étude devant vos patrons.

— Ils n'écouteront même pas, dit Adams en soupirant. Harvey vous écoute toujours poliment, mais il ne tient jamais compte de vos avis. Mercier, c'est une vraie psychopathe. Elle s'imagine que tout le monde qui avance une suggestion le fait avec une tout autre idée derrière la tête. Pour ce qui est de Mankowitch, il ne se risque jamais à donner une opinion. Alors, vous pensez, pour ce qui est de se mouiller pour les suggestions d'un autre. Allez-y, vous avez le champ libre.

— Allons, Yves, dit gentiment Annie, tu as changé de lunettes. Tu ne devrais plus parler de travail.

Arriva un grand type à l'allure athlétique qui s'assit à côté d'Annie. Il l'embrassa tendrement et adressa une bourrade à Yves.

— Alors ça va, Yves?

— Pas mal, dit celui-ci en replaçant ses lunettes.

— Alain, je vous présente Jim, mon ami.

— Salut Jim.

— Salut Alain. Encore un spécialiste en informatique, je suppose? Déjà que la table du fond appartient à une horde de programmeurs de chez Bell qui se chamaillent sur une quelconque histoire d'intelligence artificielle, alors que c'est tout juste s'ils se souviennent de leurs noms...

— Jim est sculpteur, dit Annie.

— Disons plutôt assistant-sculpteur, par les temps qui courent. J'aide Annie à démembrer des voitures afin d'en faire des sculptures, comment dit-on déjà?

— Criantes de vérité, dit Yves.

— C'est bien ça. Avec une cinquantaine de klaxons hérissés sur tout le capot de la heu... voiture, ou enfin la chose, on ne peut dire moins. Et vous, Alain, dans quoi travaillez-vous?

— Dans les ordinateurs non démembrés.

— Il travaille dans la sécurité informatique, dit Annie.

— Formidable, dit Jim, comme à la télé?

— On n'en voit pas à la télé, dit Annie, cela est trop nouveau et trop secret.

— Et pour quelle compagnie travaillez-vous? Ou serait-ce la GRC?

— Pour mon propre compte, dis-je. Ce n'est qu'en étant son propre patron que ça devient vraiment payant, pas vrai?

— La vraie mentalité d'entrepreneurship nord-américaine, dit Jim, voilà comme j'aime les choses. Allez, on arrose. C'est vous qui payez, vous passerez ça sur vos impôts.

Jim fit un geste d'autorité au serveur et les consommations atterrirent rapidement sur la table.

— Et comment bricolez-vous vos voitures? demandai-je à Annie.

— Je les fais livrer directement de la cour à ferraille à mon atelier. Je les démembre et je remodèle la carrosserie à ma façon. Je donne une couche de peinture sur le tout, puis je les livre à la galerie. Si je ne me fais pas arrêter en chemin comme cela s'est déjà produit.

— Elles sont en état de rouler?

— Toujours, dit-elle, c'est ma marque de commerce. Mais enfin, ce n'est pas toujours l'avis de la police. Celle que je suis en train de produire sera dédiée à Yves. C'est une voiture à lunettes!

— Ce doit être assez spécial, avouai-je. Mais il est déjà tard, je dois retourner à l'hôtel. J'espère que vous m'excuserez.

— À quel hôtel êtes-vous descendu? s'informa Jim.

— Au Hilton, répondis-je au hasard. Bonne journée.

Il était déjà sept heures du matin et le retour en taxi me rappela le dernier voyage que j'avais effectué à Montréal en compagnie de Chris. Cela datait d'à peine six mois. Nous étions descendus à ce petit hôtel, avec vue sur la montagne, dans lequel nous avions nos habitudes. Nous nous levions toujours très tôt, fidèle à cette coutume de Chris de profiter de toute la lumière du jour.

— Nous y voici, dit le chauffeur.

Je payai, empochai le reçu et chassai Chris de mes pensées. Quelques images s'entêtaient encore à me la rappeler quand je débouchai de l'ascenseur, mais elles s'évanouirent aussitôt que je me jetai sur le lit.

V

Le leadership paranoïaque

— **J**'ai assemblé tous les éléments du dossier High Lake, du Manitoba, dit Michèle Mercier en me montrant une imposante pile d'imprimés d'ordinateur.

Son bureau était vaste, les boiseries, en chêne clair, reflétaient la lumière vive d'une fin d'avant-midi ensoleillée, et une photo encadrée de son mari et de ses enfants figurait bien en évidence sur la bibliothèque.

— Tout y est, poursuivit-elle avec un léger soupir, des filières des sociétés-écrans aux moindres détails comptables. Toutefois, tous les noms qui y figurent, des sociétés-écrans à notre client, sont fictifs.

— Ces noms sont-ils les mêmes que ceux inscrits dans la mémoire de l'ordinateur? demandai-je après avoir avalé d'un trait la dernière moitié de ma tasse de café.

— Pas tout à fait, mais cela devrait être plus que suffisant pour votre rapport, monsieur Bourque.

— Malheureusement non, madame Mercier. J'ai besoin de détails concordant avec les données de l'ordinateur, tout spécialement ces noms protégés qui se retrouvent dans les données-clés. Ces noms sont indispensables pour relier les blocs d'information entre eux, n'est-ce pas?

— Seulement pour certaines pages de données

parmi les plus confidentielles. Vous pourrez quand même avoir accès à la très grande majorité des pages restantes.

— Vous me voyez désolé d'avoir à insister, mais il me faut toutes les données concernant cette affaire difficile afin de formuler les recommandations pour qu'une telle histoire ne se reproduise plus. Monsieur Harvey a été très clair: je devais obtenir tous les renseignements relatifs à cette affaire à l'exception du nom de votre client. Vous pouvez naturellement le contacter pour qu'il vous le confirme.

Elle contempla un moment le combiné d'un air songeur, puis sembla se raviser.

— Cela ne coïncide pas avec nos procédures habituelles de discrétion, mais monsieur Harvey a sûrement des impératifs pour les outrepasser. Vous aurez toute l'information pertinente que vous désirez, monsieur Bourque.

— Merci. Je vous serais gré de m'expliquer le dossier directement à partir des banques de données de la machine.

— Comme vous voulez, dit Michèle Mercier en s'approchant du terminal posé sur son bureau.

Après avoir introduit son code d'accès personnel et s'être correctement identifiée, elle entra les commandes pour accéder à la banque de données.

— Notre client, dit-elle, est désigné sous le nom de Acca et est enregistré sous ce nom dans l'ordinateur. Seuls messieurs Harvey et Fenders connaissent l'identité des clients qui demandent une attention spéciale. La société Acca est intéressée à investir dans des terrains qu'elle sait être prometteurs dans le nord du Manitoba. La société Acca a donc pris contact avec notre chargé d'affaires à Bonn, dont nous voyons ici un rapport préliminaire concernant la demande du client, suivi de recommandations.

Elle enfonça quelques touches, donna les données-clés *Acca* et *Bonn* et le rapport préliminaire du chargé d'affaires parut à l'écran.

— Le chargé d'affaires ne nomme pas la compagnie cliente, mais il est nécessairement au courant de son identité réelle, non?

— Bien sûr, il garde les noms et codes correspondants dans un coffre. Mais il ne sert, par la suite, que de relais, et il n'est aucunement impliqué dans les démarches ultérieures qui ont ensuite cours en sol canadien. Il ne sert en fait que de canal pour l'information et les finances. Vous pouvez voir ici qu'il ne se livre pas à une étude détaillée de la compagnie, mais renvoie seulement à son dossier. Cette société était l'un de nos plus vieux clients.

— Allons voir ce dossier d'Acca, dis-je.

— Ces informations sont de degré 0 et me sont interdites. Seuls messieurs Harvey et Fenders y ont droit.

— Ces données sont-elles emmagasinées dans la banque de données de l'ordinateur?

— Je ne sais pas, dit Michèle Mercier en haussant les épaules, je suppose.

— Bien, je verrai cela plus tard. Continuons, voulez-vous.

— Voilà: le chargé d'affaires nous a envoyé cette demande par l'intermédiaire d'un réseau de télécommunication international et la Monnaies Transit en a reçu copie. Le message, en fait, fut envoyé directement au terminal personnel de monsieur Harvey, et aucun autre terminal ne pouvait y avoir accès. Après étude, monsieur Harvey l'a accepté et l'a rendu public comme une information de degré 1, c'est-à-dire à n'être communiqué qu'à un public restreint appartenant à ce degré.

Tout ceci, bien sûr, relevait de la théorie. Pour le professionnel que j'étais, Michèle Mercier professait une foi touchante envers l'inviolabilité des données confiées à un ordinateur. Ainsi, cette histoire de degrés 0 et 1 était fort jolie, de même que celle des messages ne pouvant être reçus que par le terminal personnel de Harvey.

Le principe était simple: les données étaient hors de tout doute inscrites dans la mémoire de l'ordinateur, mais les programmes de sécurité ne restreignaient la diffusion de ces informations qu'aux terminaux munis des codes d'accès adéquats — les usagers de degrés 0 ou 1 —, ou encore qu'au détenteur du même numéro de série que le terminal personnel de Harvey. Tout ceci est rigoureusement exact, à condition que l'on ne corrompe pas les programmes de sécurité, ou que l'on ne réussisse pas à les contourner.

À qui s'y connaît, ces systèmes sont loin d'être infaillibles. Mais il s'agit d'éviter à tout prix que les compétiteurs soient mis au fait de ces défaillances. D'où le leitmotiv de Buddy: dès l'instant où vos compétiteurs prennent connaissance de la nature de vos mesures de sécurité, vous êtes sujet à l'infiltration, à plus ou moins brève échéance. D'où un principe de base de la profession: le caractère confidentiel de vos mesures de sécurité importe plus que lesdites mesures.

La sécurité informatique exige donc que nous soyons constamment sur les dents, c'est-à-dire baignant dans une paranoïa à toute épreuve. Une entreprise de pointe, désireuse de faire échec à l'espionnage industriel, doit déployer des moyens variés et inusités pour entretenir ce souci constant de la sécurité chez son personnel. Je regrette de le dire, mais je ne retrouvais malheureusement pas ce sens nécessaire de la paranoïa chez Michèle Mercier.

— Donc, dis-je, le message a été reçu par monsieur Harvey qui y a donné toute l'attention que méritait un client privilégié, et il y a donné suite. De quelle manière?

— Selon la procédure normale. Monsieur Harvey a convoqué à son bureau le courtier qui serait mis sur l'affaire. En l'occurrence, il s'agissait de monsieur Paul

Tremblay, un courtier à l'emploi de la Monnaies Transit depuis de nombreuses années. Nous pouvons suivre le déroulement du dossier en allant chercher un second bloc d'informations qui se trouve être la réponse de monsieur Harvey à la demande de notre chargé d'affaires à Bonn. Vous remarquerez que chaque bloc d'informations possède un numéro inscrit dans le coin supérieur gauche, ce qui permet de suivre le déroulement d'une affaire en opérant par ordre numérique.

Elle enfonça quelques touches pour obtenir le bloc suivant et les demandes de données-clés apparurent à l'écran. Aux questions «Client?», «Destinataire?» et «Location?», elle répondit: «Acca», «Spielberg» et «Lowentrass».

— Voilà donc la réponse de monsieur Harvey, poursuivit-elle. Il a accepté la demande, donne le nom du courtier qui est chargé du dossier, ici monsieur Tremblay, dont suit le numéro d'adresse-terminal si le chargé d'affaires désire communiquer directement avec lui. Suivons maintenant le travail de monsieur Tremblay. Nous avons ici deux demandes d'achat de terrains appartenant à une société de prospection minière. Ces deux terrains étaient situés dans la zone convoitée et furent acquis par la Monnaies Transit pour le compte d'une compagnie que nous contrôlons, la Mountains corp. Une zone limitrophe fut acquise ensuite en franchise du gouvernement pour fins d'exploration, toujours au nom de la Mountains corp.

— Ce qui donnait un lot complet, je suppose?

— C'est exact, et justifiait l'achat de terrains par une companie de prospection. Jusqu'ici, personne ne pouvait s'étonner de quoi que ce soit, le lot obtenu n'étant pas assez étendu pour susciter des soupçons. Ensuite, dit-elle en entrant les données-clés «Bayton» et «High Lake» pour le bloc onze, monsieur Tremblay a communiqué avec l'une de nos sociétés afin de lui demander d'acheter une zone qui couvrait environ le tiers de la zone cible en son nom propre, la Bayton Sports, dans le but d'en faire un club de chasse et de pêche. Vous remarquerez que des permis ont été obtenus du gouvernement provincial à cette fin.

— Monsieur Tremblay et la Bayton Sports communiquaient-ils entre eux par téléphone?

— En aucun cas, cela aurait été contraire à toutes les règles. La Bayton est reliée au réseau de la Transit en tant que client, et toutes les communications confidentielles sont transmises à travers notre système informatique.

— Excellent! Que s'est-il passé par la suite?

— Jusqu'ici, nous contrôlions environ les deux tiers du territoire convoité par notre client. La dernière étape fut l'achat de toutes les actions possibles de la Manitoba Search afin d'en prendre le contrôle. Cette compagnie possédait la partie restante du territoire. C'est là que nous sommes tombés dans un piège.

J'attendais la suite. Michèle Mercier s'était tue et elle réfléchissait, le regard dans le vide, comme pour se récapituler tous les faits.

— Désirez-vous un autre café, monsieur Bourque?

— Pourquoi pas, le café doit être aux informaticiens ce que le bourbon est aux détectives.

Elle sourit poliment, puis commanda du café à sa secrétaire par interphone. Nous attendîmes patiemment qu'elle eut terminé de remplir nos tasses avant de continuer. Michèle Mercier sembla hésiter quelques instants, puis reprit le fil de l'histoire.

— Après un sérieux travail de vérification, nos courtiers nous avaient assuré que la Manitoba Search était la proie de nombreux petits investisseurs dont aucun ne possédait la majorité des parts. Le plus gros bloc d'actions appartenait à un certain Joe Mankitch, président en titre de la compagnie, et possédant 23 pour cent des actions. Notre stratégie était simple: acheter la majorité des actions par le biais de deux sociétés indépendantes, prendre le contrôle de la compagnie et vendre simplement le terrain à notre client. Nous avons acheté à prix fort, et les choses se déroulaient normalement. Mais voilà qu'à peine en avions-nous acheté un peu plus de 30 pour cent, les investisseurs restant commencèrent à se faire tirer l'oreille malgré le prix alléchant que nous leur offrions: près du double du prix normal, en fait. Puis ils se joignirent soudainement à Mankitch afin de lui apporter la majorité des voix au conseil d'administration et lui permettre du même coup de vendre les terrains convoités à une compagnie de Toronto. Une compagnie «boîte aux lettres», créée spécialement pour l'occasion.

— Que s'est-il passé par la suite?

— On nous a retirés du dossier. Je n'ai su que plus tard que notre client, Acca, avait décidé de ne plus faire affaire avec nous.

— Ce dossier était-il sous votre responsabilité?

— Cette affaire avait été confiée à monsieur Tremblay, mais je supervise toutes les opérations afin de m'assurer qu'elles s'effectuent selon les règles.

Je voyais très bien. Les services de Michèle Mercier s'étaient fait piéger sur toute la ligne. Ce Joe Mankitch devait être un type très fort, ou peut-être lui avait-on donné d'excellents renseignements.

— Vos services ont-ils pu identifier les propriétaires de cette compagnie «boîte aux lettres»?

— Nous avons pu remonter jusqu'à une compagnie suisse, contrôlée par un cabinet d'affaires de Berne.

— Ça remonte loin. Ces terrains furent-ils vendus à un prix raisonnable à cette compagnie?

— Ils furent vendus à très hauts prix. Les actionnaires de la Manitoba Search ont encaissé beaucoup d'argent lors de cette transaction, ce qui a du moins allégé nos pertes dues au rachat d'actions à prix fort.

— Au sujet de votre politique d'achat des actions de la Manitoba Search, vous aviez deux compagnies sur le coup; étaient-elles toutes deux reliées à votre système informatique?

— Comme clients, en effet. Mais je vous ferai remarquer que l'ordinateur de la Monnaies Transit est relié par réseau à une centaine de clients réguliers.

— Quels sont les noms de ces deux compagnies, je vous prie?

— La Spark Holdings et la Beaudoin Investissements. Je vais vous écrire les codes d'accès.

Après m'avoir indiqué les codes d'accès, Michèle Mercier me demanda d'une voix soudainement impatiente:

— Puis-je vous être encore utile, monsieur Bourque?

— Quelques questions encore, madame Mercier. Les opérations effectuées par la Monnaies Transit pour le compte de votre client, la société Acca, se sont-elles effectuées à l'aide du capital propre de la Transit ou celui fourni par le client?

— Voilà une question non pertinente, monsieur Bourque.

Cette personne commençait sérieusement à m'échauffer les pieds. Je n'avais que deux semaines pour remplir ce contrat, et je n'avais pas de temps à perdre en subtilités.

— Malheureusement si, dis-je d'un ton plus dur. Vu le capital engagé, cela serait surprenant que la Transit y soit allée de ses propres fonds. Voilà où je veux en venir: la route qu'ont empruntée les capitaux d'Europe passait-elle par votre système informatique?

— Je ne vois pas en quoi cela concerne votre mandat, dit-elle d'une voix sèche. Vous êtes engagé pour un temps limité en tant que consultant dont le travail consiste à produire un rapport. Je ne vois pas du tout la relation avec nos canaux financiers.

— Madame Mercier, on m'a engagé afin que cette

malheureuse histoire ne se reproduise plus. Mon travail consiste à identifier les failles qui auraient pu conduire à cette affaire. Les canaux sont situés en amont de l'opération que nous étudions. L'aphorisme qui dit que l'argent n'a pas d'odeur ne tient que pour les montants en dessous d'un dollar. On ne passe pas dix millions de dollars dans une valise à la douane. Ces mouvements financiers laissent des traces, des écritures comptables, que sais-je encore.

Michèle Mercier joua machinalement avec les feuillets étalés devant elle, puis elle répondit d'une voix plus posée.

— Peut-être avez-vous raison, monsieur Bourque, mais ces informations relèvent d'une autorité autre que la mienne. Vous devrez en référer directement à monsieur Harvey.

— Alors, je lui en parlerai, dis-je en me levant. Je vous remercie de votre coopération.

Elle me serra la main au-dessus de son bureau et son sourire mitigé me raccompagna jusqu'à la porte.

— Merci pour cet excellent café, dis-je à la secrétaire qui leva la tête pour me sourire.

Je longeai un couloir, montai dans l'ascenseur et débouchai au troisième étage où je me dirigeai vers mon bureau. Cette discussion avec Michèle Mercier m'avait donné quelques idées et j'avais du travail à donner aux gars de Los Angeles. J'insérai le codeur, et appelai la Data.

Peters
La Data en ligne.

Alain
Comment vous débrouillez-vous avec le simulateur?

Peters
Tout est parfaitement rodé de ce côté, Eddy est à la barre.

Alain
Alors voici la situation à simuler: vous êtes un client rattaché au réseau de la Transit, c'est-à-dire connecté à l'ordinateur, et vous voulez intercepter les communications entre la Transit et certains de ses clients, à savoir la Spark Holdings et la Beaudoin Investissements.

Peters
Et pourquoi précisément ces deux-là?

Alain
D'abord, parce que dans le système de la Transit, il y a une faille qui saute aux yeux: toutes les sociétés écrans sont reliées au réseau informatique de la compagnie. Elles le sont en tant que clients normaux, certes, mais quiconque intercepte les communications entre la Transit et ces sociétés est informé de tout ce qui se passe de louche dans la compagnie. Prenons les deux compagnies citées plus haut comme point de départ. À mon avis, il n'y a pas de plus brûlé que ces deux sociétés écrans aux yeux des comptétiteurs.

Peters
On s'y met tout de suite.

Alain
Si vous trouvez quelque chose, laissez tomber le simulateur, branchez-vous directement sur l'ordinateur de la

Transit en passant par mon micro-ordinateur et testez-moi tout ça en temps réel. Tant pis si vous faites tout sauter ici.

Peters
On peut vraiment y aller à fond?

Alain
On a deux semaines, pas vrai? Si vous démolissez le système, vous appelez Yves Adams et vous remettez à vous deux l'ordinateur en état de fonctionner à nouveau.

Peters
Vu, on va rigoler.

Alain
Adams n'est au courant de rien au sujet de la Data Security, il croit que je fonctionne à mon compte avec l'aide d'une équipe de soutien embauchée à contrats.

Peters
Nous allons lui jouer le cinéma habituel. À part ça, autre chose?

Alain
Non merci, bonne chance.

Après une rapide visite à la salle d'ordinateur pour vérifier les appareils de détection et changer les bandes

des analyseurs de ligne, je me rendis au bureau d'Adams.

La porte était ouverte et je pus apercevoir celui-ci, le nez plongé dans une revue technique, les deux pieds juchés sur la montagne de papiers de toute sorte qui s'amoncelaient sur le bureau. Le flot de papier était endigué par deux écrans cathodiques placés de chaque côté du bureau et sur lesquels reposaient deux téléphones, dont l'un était ostensiblement décroché. Un amas d'imprimés d'ordinateur s'empilaient dans un coin jusqu'à la hauteur de la fenêtre, surmonté d'un bottin téléphonique sur lequel se tenait, en équilibre instable, un micro-ordinateur avec tous ses accessoires empilés sur le dessus de l'écran.

Ce bureau avait de la classe, et je dus admettre qu'Adams savait soigner son image. Je pris bonne note du téléphone décroché, voilà un cliché qui enchanterait Peters.

— Bonjours, Yves.

— Ah! bonjour Alain. La nuit ne fut pas trop courte?

— Assez courte, en effet. Je n'ai eu le temps que de m'endormir, il était déjà l'heure de se réveiller. Et la vôtre?

— Oh moi, dit-il en remettant ses pieds par terre, j'ai eu droit à ma nuit réglementaire de sept heures. J'ai un horaire flexible et je m'arrange pour être présent quand on a besoin de mes services. Êtes-vous abonné à cette revue?

— Je l'ai été pendant un certain temps, mais disons que je passe actuellement par une période d'indigestion technologique. J'étudierai les ordinateurs du futur quand ils arriveront. Je passais pour vous avertir qu'il est possible que mon équipe de soutien chevauche un peu votre ordinateur, histoire de voir ce qu'il a dans le ventre. Mais ne partez pas en panique, ils feront attention.

Adams se pencha soudainement vers l'avant et je remarquai que ses deux mains fixaient solidement le rebord du bureau.

— Chevaucher? s'étrangla-t-il.

— Oui, ils lui feront subir toute une série de tests. Simple routine, vous n'avez pas à vous inquiéter.

— Ne pas m'inquiéter?

Ses yeux écarquillés derrière ses lunettes lui donnaient l'air d'une chouette en colère.

— Ne pas m'inquiéter, répéta-t-il Vous allez me le foutre en l'air, oui. Vous êtes sur l'ordinateur depuis seulement trois jours et vous allez vous permettre d'aller travailler à l'intérieur en temps réel. Savez-vous combien d'usagers utilisent cet ordinateur? Non, mais vous allez vraiment me le bousiller trente fois par jour. Et tous les usagers vont me tomber dessus!

J'eus un prudent geste d'apaisement.

— Voyons, Yves, nous sommes des professionnels. Nous ferons attention pour ne pas le faire sauter euh... trop souvent. J'ai donné des directives très strictes à mon équipe de soutien. Ils procéderont avec beaucoup de délicatesse.

— Bonjour Yves, puis-je te demander quelque chose? demanda John Mankowitch en passant la tête dans la porte. À moins que tu ne sois trop occupé, il y a un petit problème que j'aimerais te soumettre.

— Plus tard, John, s'il te plaît, je suis occupé avec monsieur Bourque.

— Ah! bonjour monsieur Bourque, votre rapport progresse?

— Ça avance dans la bonne direction. Et comme je l'expliquais à monsieur Adams, nous sommes dans une période critique de vérification en temps réel, mais cela ne devrait pas durer trop longtemps. Quelques jours tout au plus.

— Quelques jours! dit Adams. Et vous ne tenez même pas à faire ça la nuit. Je vous assisterai toutes les nuits si vous voulez, mais laissez cet ordinateur tranquille durant les opérations de la journée.

— Désolé, Yves, mais les tests se poursuivront la nuit comme le jour, sans interruption. Écoutez, vous connaissez la musique: je fais face à des échéanciers très serrés, alors à moi toute la priorité. Si vous avez des problèmes avec vos usagers — ceci n'est qu'une éventualité —, vous n'avez qu'à mettre le tout sur le dos de la compagnie de téléphone. Vous savez, cette compagnie qui nous loue ses lignes de télécommunication à prix d'or et qui n'est même pas fichue d'assurer un service convenable. Vous devez connaître le refrain, non?

— C'est qu'il l'a utilisé trop souvent, dit Mankowitch en souriant, et il n'ose le servir une fois de plus aux usagers.

— Alors vous trouverez bien autre chose. Si mes gars font un petit geste déplacé — ces choses peuvent arriver — , ils vous contacteront pour vous expliquer ce qu'ils ont fait. Comme ça, vous pourrez facilement réparer les dégâts. Vous serez en contact avec Peters, un type très bien, plein de délicatesse.

— Et où peut-on rejoindre ce Peters? demanda Adams en se renfrognant.

— À ce numéro de Los Angeles.

Je lui indiquai le numéro pour obtenir directement le bureau de Peters, puis je m'apprêtai à sortir du bureau.

— Allons, ne faites pas cette tête, Yves, tout se passera très bien. Avez-vous deux secondes, monsieur Mankowitch?

— Bien sûr, répondit celui-ci. Nous nous reverrons dans quelques minutes, Yves. Tu ne m'oublies pas, hein?

— Ouais, dit Adams.

Nous discutâmes debout dans le couloir. Mankowitch n'arrêtait pas de plier et déplier soigneusement un imprimé d'ordinateur.

— Une simple question, je vous prie, monsieur Mankowitch. Avez-vous eu connaissance d'une quel-

communication, spécialement ceux reliant l'ordinateur de la Transit et ses sociétés clients?

— Je ne touche pas aux télécommunications; d'ailleurs je n'y comprends pas grand-chose, avoua-t-il avec candeur.

— N'avez-vous jamais entendu parler de problèmes relatifs à ces communications et qui devaient être résolus d'une manière ou d'une autre?

— Non, et s'il y en avait eu, ce n'est pas à moi à qui l'on en aurait parlé, ni demandé de les résoudre.

— À qui aurait-on confié la tâche de solutionner ces problèmes?

— À Yves Adams, évidemment.

— Mais on vous aurait consulté sur le sujet, pour les usagers, par exemple.

— Non, je m'en tiens strictement au traitement de l'information interne, c'est-à-dire la production de rapports financiers, de relevés statistiques, ce genre de choses.

— Vous n'avez jamais entendu parler d'une quelconque modification à ces programmes de télécommunication depuis les six derniers mois? Voyons, il y a toujours quelque chose à modifier, c'en est presque de la routine.

— Désolé, monsieur Bourque, mais je ne me souviens de rien du genre.,

— Eh bien! merci de votre collaboration, monsieur Mankowitch.

— Cela m'a fait plaisir, répondit celui-ci tout en dépliant son imprimé d'ordinateur réduit à la taille d'un paquet de cigarettes.

Claude Harvey releva la tête lorsque sa secrétaire referma derrière moi la lourde porte de son bureau. Il étala un moment ses longues mains sur le dossier ouvert , devant lui, puis m'invita à m'asseoir tout en refermant lentement la couverture cartonnée du dossier. Il paraissait fatigué, avait les traits tirés et semblait avoir veillé une bonne partie de la nuit. Malgré tout, son apparence physique demeurait soignée et il donnait comme toujours l'image d'un administrateur conscient de ses responsabilités.

Il fit basculer lentement sa chaise vers l'arrière.

— Comment avance votre étude, monsieur Bourque?

— Elle progresse, monsieur Harvey, mais il existe quelques points qui me paraissent encore obscurs dans cette affaire High Lake, une opération que je désire étudier plus à fond.

Harvey fit un signe des mains pour m'inviter à continuer.

— C'est à propos du financement à la base de l'opération. Je désire connaître la filière suivie par le capital entre Bonn et Montréal, la filière informatique, cela s'entend.

Harvey croisa les mains sur le bureau.

— Avez-vous posé cette question à madame Mercier? demanda-t-il.

— Oui, mais elle m'a affirmé que cela dépassait ses compétences.

— C'est le moins que l'on puisse dire. En temps normal, une telle demande serait fort mal venue. Et quelle impression avez-vous de madame Mercier?

— De l'affaire ou de madame Mercier?

— Commençons d'abord par madame Mercier.

— Madame Mercier prend son travail à coeur et elle me semble une employée fidèle à la Monnaies Transit.

Harvey acquiesça d'un signe de tête, comme pour saluer une employée qui méritait toute sa considération.

— Et encore?

— Elle suit à la lettre les procédures de contrôle des transactions de la compagnie et semble appliquer scrupuleusement les consignes de sécurité mais peut-être un peu trop scrupuleusement. Les mesures de sécurité ne sont pas parfaites et ne peuvent prévoir l'imprévu. À mon avis, madame Mercier est trop confiante dans les procédures existantes. Mais cette affaire de la Manitoba Search lui a sûrement beaucoup appris.

Je fis cette dernière remarque parce que j'ai toujours été un type serviable, même en affaires. De toute façon, les jours de madame Mercier à la Monnaies Transit étaient comptés. On l'affecterait d'abord à un autre poste, puis on la déposerait gentiment sur une tablette; finalement, on lui ferait comprendre que sa carrière progresserait sûrement plus rapidement dans une autre entreprise. Une prime substantielle de séparation balaierait les dernières hésitations et mettrait un baume sur une fierté éprouvée, ce qui aurait pu porter à des gestes inconsidérés. Comme celui d'aller se confier aux services gouvernementaux. Mais son sort était néanmoins scellé. La chausse-trappe tendue par le président de la Manitoba Search avait fait passer la Monnaies Transit pour une poignée d'amateurs aux yeux de leur principal client.

Harvey hocha tristement la tête en signe d'acquiescement.

— Et quelle est votre interprétation de toute cette affaire?

— Il semblerait que la Monnaies Transit soit tombée dans deux pièges différents. L'un tendu par le président de la Manitoba Search, l'autre par vos compétiteurs. Voici comment je vois ce qui s'est passé: vos compétiteurs devaient nécessairement être informés de vos tractations financières. Ils ne sont intervenus qu'au moment où vous étiez le plus vulnérable, lors de votre tentative de prise de contrôle de la Manitoba Search. On peut supposer que ces actionnaires, Joe Mankitch en tête, ont été dès le début informés par votre compétiteur de votre intention de prise de contrôle. Après s'être permis le luxe de vous vendre une partie de leurs actions à prix fort, les actionnaires de la Manitoba ont vendu le terrain que vous convoitiez à votre concurrent.

— Nous étions parvenus à la même conclusion, dit Harvey; continuez.

— Ceci n'a été possible qu'en piratant votre ordinateur. À moins qu'une taupe, payée par votre concurrent, ait pu s'infiltrer à l'intérieur de votre compagnie. Mais une action d'espionnage informatique reste l'explication la plus plausible. Par contre, il demeure un point obscur: comment ont-ils pu percer l'identité de votre client? Vous ne laissez sûrement pas traîner cette information dans votre ordinateur.

— En effet, dit Harvey. Les informations comme celle-ci sont à l'abri dans mon coffre personnel.

— Une telle information peut donc difficilement être divulguée par un de vos employés, sans risque, à coup sûr, d'être rapidement découvert.

— Alors, si je poursuis votre raisonnement, nous arrivons à la conclusion que ces compétiteurs seraient parvenus à identifier notre client en remontant la filière de ses versements.

— Exact.

— Et peu probable. Cela nécessiterait une organisation colossale, et ne pourrait être l'oeuvre, par conséquent, que d'un gouvernement. Et les gouvernements ne s'amusent pas à de si petits jeux comme ceux pratiqués à nos dépens sur les terrains de la Manitoba Search. Non, notre client est un groupe d'affaires très pointilleux quant à sa respectabilité, même s'il fait preuve d'une certaine largesse d'esprit face à ces règlements regrettables sur l'investissement étranger au Canada. En conséquence, notre client prend de très nombreuses précautions.

Harvey fit basculer son fauteuil de cuir vers l'arrière

tout en frottant de la main le dossier devant lui. J'apprendrais à le connaître un peu mieux au fil de nos brèves relations et comprendrais son attachement pour les dossiers écrits sur papier et bien montés dans une couverture rigide. Il n'avait aucune affinité avec les dossiers électroniques, et il ne leur vouait, d'ailleurs, qu'une confiance toute mitigée, ce en quoi l'expérience allait lui donner raison.

— Le financement de notre client, poursuivit-il sur un ton un peu pontifiant, nous est parvenu selon un itinéraire compliqué, par l'intermédiaire de nombreuses banques privées européennes. Notre client s'assure ainsi d'une double protection: celle pratiquée par ses manoeuvres de diversion et celle assurée par notre propre filière. Son identité a donc dû être découverte d'une façon autre que celle que vous avez imaginée. Peut-être a-t-on trouvé la combinaison de mon coffre? interrogea-t-il innocemment comme si j'allais prendre au sérieux une pareille hypothèse.

Harvey croisa ses deux bras sur le bureau tout en se penchant légèrement vers l'avant pour m'examiner avec une sévère bienveillance.

— Comprenez-moi bien, monsieur Bourque. Compte tenu du temps disponible, vous avez déjà accompli un travail remarquable et votre rapide compréhension de l'imbroglio que représente cette affaire de la Manitoba Search parle en votre faveur. Mais vous avez été engagé afin de vous assurer de la fiabilité de notre système informatique. Vous devez considérer ce but comme étant votre objectif prioritaire. L'identification de la taupe, si taupe il y a, viendra plus tard. En ce qui concerne la divulgation de l'identité de notre client, cela n'a rien à voir avec notre ordinateur et ne concerne donc pas votre mandat.

Harvey savait rabrouer avec élégance comme il savait se tenir, et je pris la chose avec philosophie. La

Monnaies Transit faisait partie de ces compagnies qui paient très cher afin d'obtenir un résultat, et rien d'autre. On déteste les cadeaux dans ce milieu.

— Je vous remercie de votre attention, dis-je en me levant. Je n'abuserai plus de votre temps.

Harvey me fit rasseoir d'un geste.

— Vous ne me faites pas perdre mon temps, monsieur Bourque, tout au contraire. Je voudrais que vous m'expliquiez où vous en êtes rendu dans votre enquête.

— Premièrement, dis-je, il y a une constatation évidente: si nous faisons face à de l'espionnage industriel dirigé contre votre ordinateur, l'information subtilisée ne peut être véhiculée à l'extérieur que par votre réseau de télécommunication. Il est impossible de sortir une disquette, une bande magnétique ou simplement un imprimé informatisé de la salle d'ordinateur. La sécurité physique des lieux est impressionnante. Nous dirigeons donc nos recherches vers un piratage opéré de l'extérieur, au travers de vos réseaux de télécommunication.

— Je vois. Avez-vous trouvé quelque chose de particulier de ce côté?

— Pas encore, nous y travaillons.

Harvey hocha la tête, comme pour signifier qu'il ne doutait pas de l'heureux résultat de nos recherches.

— Alors bonne chance, dit-il en se levant pour me reconduire à la porte. Tenez-moi au courant si vous trouvez quelque chose, et n'oubliez pas que les délais doivent être respectés.

Compétente en toute chose, Lucie Riopelle m'indiqua avec force détails l'emplacement d'un autre petit restaurant dans les environs, et refusa un peu plus gentiment que la veille ma nouvelle invitation à dîner. Adams, par contre, ne se fit pas prier.

— Non, dit-il je ne travaillerai pas tard ce soir, mais

je déteste faire la cuisine.Et de plus, il est temps que je remplume ma note de frais. Si je la laisse diminuer, on croira que je ne travaille plus le soir, et ma réputation d'être toujours sur la brèche en souffrira.

Sur la suggestion d'Adams, on essaya le Veau Marengo, la spécialité de la maison. Après le café et le premier cognac, on délaissa les dernières nouveautés techniques apparues sur le marché pour se concentrer sur le péril technologique japonais. Au troisième verre, Adams changea ses lunettes pour une magnifique monture «maître d'école» et il entreprit de m'expliquer en détail sa dernière trouvaille concernant le micro-ordinateur tout à fait hors série qu'il était en train de bricoler à la maison. Au cinquième, il changea ses verres pour adopter le style aviateur,«afin d'y voir mieux à cette altitude». Au sixième, il mit un point final au changement de lunettes.

— De toute façon, dit-il, j'y vois tout embrouillé. Alors ça ne changerait pas grand-chose. Êtes-vous marié, Alain?

— Je l'ai été pendant trois ans, je ne le suis plus depuis trois semaines, et j'ai eu trente-trois ans il n'y a pas longtemps. Il doit y avoir une explication quelque part.

— Je ne connais rien à l'ésotérisme, dit Adams en souriant, mais vous me voyez désolé pour votre femme. Que faites-vous de vos temps libres?

— Je me débrouille pour ne pas avoir de temps lire, dis-je. Et vous, Yves, que faites-vous à part bricoler vos machines et porter des lunettes?

— J'essaie de concevoir de nouvelles lunettes à partir de mes machines.

— Alors la boucle est bouclée. Vous ne perdez pas le nord, Yves.

— Pas question, dit celui-ci en calant son verre. On en commande un autre?

— Bien sûr.

— Et que pensez-vous d'Annie? demanda Adams après avoir fait un signe péremptoire au serveur.

— Très gentille femme. Est-ce sérieux, cette histoire de voitures bricolées?

— Tout à fait, elle est carrément dingue. Vous devriez voir ce qu'elle a déjà fait d'un camion de ramassage d'ordures.

— J'imagine assez mal, mais ce devait être quelque chose qui sort de l'ordinaire. Ce Jim, qui est-il?

Adams rosit légèrement.

— Oh! l'ami du moment d'Annie.

— C'est sérieux?

— Je suppose, enfin j'espère que non.

— Allons, vous avez une chance, je suis certain que vous arriverez à le coincer. Il a sûrement des défauts et vous des qualités, faut voir les choses de cette façon.

— Je ne suis pas des plus costaud. J'aimerais bien m'inscrire à un truc de culture physique ou quelque chose du genre, mais je m'ennuie carrément dans ce type d'activité. C'est trop physique, et je ne suis pas très bien outillé pour ça.

On devait se rendre à l'évidence: la seule chose qui dégageait quelque force chez Adams, c'était ses lunettes.

— En effet, comparé à un type comme Jim, vous ne faites pas le poids. Mais vous avez tout de même le cerveau assez gonflé, non? Alors servez-vous-en. Elle aime bricoler des machines? Apportez-lui les plans d'une machine carrément démente, bourrée de gadgets électroniques. Faites-la parler, scintiller, jouer de la musique, lancer des balles de tennis, ajoutez-y des formes et faites-la danser à claquettes. Enfin, vous devez connaître ses phantasmes. Alors, allez-y à fond. Foncez, quoi.

— Pas mal comme idée, dit Adams en s'excitant. Elle a toujours rêvé d'une sculpture obéissant à des commandes verbales. On pourrait toujours essayer.

— J'ai lu un article sur le sujet dans le Computer's

technics du mois de décembre. Voilà qui pourrait vous servir de point de départ. Je vous retrouverai le numéro. D'ailleurs, ça ne doit pas être trop difficile. Vous n'avez qu'à vous procurer un micro-processeur qui reconnaît certaines commandes verbales et à le brancher directement dans votre machine-sculpture. Ça ira tout seul.

— Ça ira vraiment tout seul, dit Adams qui commençait déjà à dessiner les plans sur un napperon. Vous voyez, un seul joint électro-mécanique ici, entre le micro-processeur et le membre articulé et nous aurons un mouvement commandé par une parole.

— Splendide. Écoutez, je vous laisse cogiter tout ça. Tant qu'à moi, un peu de repos ne me fera pas de tort. Je rentre à l'hôtel. Vous me montrerez les plans quand nous en aurons terminé, d'accord?

— Bien sûr, dit Yves, et n'oubliez pas cet article.

Je demandai l'addition.

— Laissez, dit Adams, ils vont mettre tout ça sur plusieurs factures et laisser la date en blanc. Ils ont l'habitude. Et puis, nous avons parlé ordinateurs, non?...

VI

Commando contre ordinateur

Je regardai d'un œil las les modules de diagnostic défiler sur l'écran. Depuis trois jours le résultat était le même: négatif! On devait se rendre à l'évidence: le filtre de sécurité tendu entre la Transit et ses clients faisait son travail. Je tapai quelques commandes sur le terminal installé sur le bureau afin de connaître l'état de l'ordinateur. Celui-ci s'était stabilisé et ne devait plus tomber en panne, du moins pour l'instant. Ce qui m'éviterait une nouvelle visite désagréable d'Adams.

Je me tournai vers mon micro-ordinateur, branché presque en permanence sur Los Angeles depuis trois jours.

Alain
Peters?

Peters
Hummmmm?

Alain
Nous abandonnons l'hypothèse d'une percée de l'ordinateur à partir du terminal d'un client de la Transit.

Peters
Hummmmm.

Alain
Nous devons nous rendre à l'évidence, Peters.

Peters
Je suis d'accord, mais si nos compétiteurs ont réussi là où nous avons échoué, alors John, Eddy et moi sommes déshonorés.

Alain
Je compatis, mais il est temps de prendre une décision. Le temps passe et aucune solution satisfaisante n'est en vue. Il ne nous reste qu'une semaine, Peters.

Peters
Hummmmmmmmmmm.

Je tendis le bras pour saisir la cafetière qui reposait directement sur le coin de mon bureau, en état d'alerte maximum depuis trois jours.

J'en avais besoin. Nous étions fatigués et l'excitation du début faisait place à une certaine morosité.

À partir des archives de la Transit emmagasinées sur bandes magnétiques, nous avions étudié en détail toutes les transactions concernant l'achat des terrains manitobains. Un scénario possible s'était rapidement dessiné à l'aide du simulateur. Le scénario prévoyait que les compétiteurs auraient pu remonter toutes les opérations de la Transit dans cette affaire en interceptant les messages envoyés aux sociétés écrans impliquées, soit la

Beaudoin Investissements, la Spark Holdings et la Bayton Sports.

Le coulage de l'information pouvait être obtenu à partir d'un terminal unique, appartenant à l'un des clients de la Transit branché sur le réseau. La méthode de piratage était assez simple. Il s'agissait d'aller cueillir les messages à la source, directement dans la mémoire de l'ordinateur, juste avant que celui-ci ne les expédie aux terminaux des sociétés écrans.

Quand fut venu le temps de mettre à l'épreuve nos hypothèses, c'est-à-dire directement sur l'ordinateur en opération, nous avons convenu de mettre John sur l'affaire. Un ordinateur en opération est une mécanique délicate, très vulnérable au type d'interventions que nous nous apprêtions à effectuer. Pour éviter les bavures, il faut beaucoup de délicatesse, ainsi qu'une habilité éprouvée. Deux qualités qu'il serait tout à fait inutile de chercher chez un type comme John.

Pour effectuer un travail délicat, il faut du temps, et nous n'en avions guère. John ne prit donc pas la peine de se munir de gants blancs et il entreprit de s'attaquer à l'ordinateur de la Transit avec la méthode virile qu'il affectionnait.

Les résultats ne se firent pas attendre, non plus que les lamentations prévisibles des usagers. Mais nous n'en avions cure, John était entré dans l'ordinateur telle une locomotive, pulvérisant sur son passage les premiers bastions de sécurité. Il put rapidement intercepter de nombreuses communications entre l'ordinateur et différents terminaux. Mais il s'enlisa tout aussi rapidement, n'accédant qu'à des informations fragmentaires, nettement insuffisantes pour avoir une vue raisonnable de l'ensemble de ces opérations d'achat de terrains. Trois jours d'essais et d'expérimentations diverses ne nous avaient pas fait avancer d'un pas. Nous devions convenir que le système de sécurité, s'il n'était pas parfait l'élevait suffisamment d'obstacles pour empêcher tout piratage sérieux.

Après m'être servi une autre tasse de café bouillant, je repris la communication avec Los Angeles.

Alain
En fait, je ne crois personne d'assez futé parmi les clients de la Monnaies Transit pour percer ce système. L'angle d'attaque doit être différent.

Peters
Peut-être est-ce l'un de ces gosses qui ont grandi avec un micro-ordinateur dans les mains et sont capables de pirater la section «compte de dépenses personnelles» des agents de la CIA?

Alain
Si c'en est un, nous le joindrons à Eddy, ils formeront notre nouvelle équipe junior.

Peters
Eddy te remercie fortement pour cette nouvelle marque d'estime et il te demande s'il lui faut continuer à s'échiner sur ce simulateur.

Alain
Qu'il laisse tomber. Que fait donc John?

Peters
Il somnole sur ses imprimés d'ordinateur.

Alain
Qu'il aille se coucher, il en a besoin. Maintenant,

résumons-nous: si nous écartons la possibilité d'une percée de l'ordinateur à partir de terminaux rattachés aux bureaux des clients, alors il ne reste qu'une autre possibilité: le système n'est pas piraté de l'extérieur mais bien de l'intérieur, directement à partir de l'ordinateur de la Transit en direction d'un client branché sur le réseau.

Peters
Brillante déduction, digne de la grande tradition de la Data Security. Alors, nous admettons l'existence d'une taupe dans la place?

Alain
À moins que ce ne soit le fait d'un des consultants en sécurité embauché par la Transit et qui aurait eu l'idée de modifier certains programmes de télécommunication.

Peters
Possible, mais de fort mauvais goût. Rien de tel pour ruiner la profession. Alors, tu nous annonces le programme?

Alain
Comment se porte Eddy?

Peters
Il garde la forme, ces jeunes sont pleins d'allant. Il s'est même permis quatre heures de sommeil la nuit dernière.

Alain
Il se croit en vacances? Allez, nous avons du travail pour lui. Nous allons d'abord vérifier si l'ordinateur est bien employé à ce qu'il doit être. Si on l'emploie à autre chose

que des télécommunications normales, il en restera des traces. Dès demain, à l'ouverture des bureaux de la Transit, il nous faut un profil complet de la répartition de la puissance de l'ordinateur entre ses principales composantes: disques-mémoires, fonctionnement des différents programmes et modules de télécommunication. Si les télécommunications accaparent plus de puissance que nécessaire, nous pourrons conclure que quelque chose de louche se trame de ce côté.

Peters
Tout à fait d'accord, mais tu sais que cette serie de tests va mettre l'ordinateur sur les genoux. Déjà que ce Adams devient de moins en moins poli au téléphone, encore heureux que je sois à quatre mille kilomètres.

Alain
Je m'occuperai d'Adams. Eddy peut-il réussir à implanter ces programmes de diagnostic pour demain matin? En tenant compte du décalage horaire, cela lui laisse six grosses heures.

Peters
Eddy apporte une modification: cela lui laisse six petites heures. Mais il fait dire que l'on se débrouillera.

Alain
Braves garçons! Autre chose: après avoir effectué cette analyse sur l'ordinateur, vous l'effectuerez de nouveau mais cette fois sur le simulateur et nous comparerons les résultats.

Peters
Hummmmm.

Alain
Des problèmes?

Peters
L'idée est excellente, c'est ce simulateur qui l'est moins. Les brillants universitaires de la côte est qui ont conçu le programme de simulation du TANDEM TXP sont passés un peu rapidement sur cet aspect difficile qu'est le diagnostic d'utilisation de puissance. Il nous faudra extrapoler sérieusement à partir des résultats obtenus.

Alain
Eh bien! extrapolez, mes amis, extrapolez!

Je coupai la communication en imaginant sans peine la scène à Los Angeles. Peters devait avoir les deux pieds sur son bureau, les bras de chemise toujours repliés aussi impeccablement au-dessus du coude, le clavier reposant sur son éternel pantalon de toile beige, et il était en train d'abreuver d'injures le terminal sur son bureau. Il pouvait gueuler tant qu'il voulait, on pouvait faire confiance à Peters. Il ferait son travail.

Peters avait connu Buddy bien avant son entrée à la Data Security. Ils avaient monté ensemble une compagnie de micro-processeurs, projet qui avait rapidement avorté. Peters avait ensuite fait son chemin parmi les nombreuses compagnies d'électronique de la côte ouest et ce n'est que lorsque la Data Security fut bien lancée qu'il se joignit à l'équipe. Le fort salaire qu'on lui offrait comptait certes pour quelque chose, mais c'est surtout la possibilité de travailler avec un minimum de supervision et dans un milieu hautement volatil qui l'avait séduit.

Peters expliquait le terme «volatil» comme suit: il qualifiait un milieu en expansion rapide, où les dollars volaient bas, où les ordinateurs utilisés étaient les plus rapides, où les moyens technologiques employés faisaient partie du nec plus ultra et où, enfin, on pouvait s'attendre aux coups les plus tordus. Bref, concluait-il après son exposé, généralement devant un petit verre d'alcool, volatil était l'antonyme d'ennuyant.

Peters possédait en outre une personnalité extrêmement bien adaptée au milieu. Pour faire partie de cette élite à l'emploi de la Data Security, il fallait abandonner tout centre d'intérêt autre que l'informatique. Peters s'accomodait fort bien de cette exigence, car il ne s'était jamais intéressé à autre chose. Et contrairement à ses collègues qui considéraient le divorce comme une fatalité professionnelle — certains, plus cyniques, avaient même demandés que leurs frais d'avocats pour régler leurs problèmes matrimoniaux soient inclus dans les bénéfices marginaux —, Peters, lui, clamait à qui voulait l'entendre qu'il considérait son union avec Maggie comme son plus grand succès professionnel. Connaissant le caractère bouillant de Maggie, tout le monde opinait avec respect.

Pour ce qui est de John, nous l'avions remarqué alors qu'il travaillait pour un de nos compétiteurs. Cette équipe peu expérimentée, formée principalement d'amateurs, s'était rapidement fait déclasser par la Data Security. Mais il faut dire, à la décharge de John, qu'il était très mal dirigé. Avec son aptitude à juger le personnel, Buddy l'avait tout de suite remarqué. John était une véritable bête de travail et rien ne le rebutait, surtout pas les difficultés techniques qui avaient curieusement le don de le mettre de bonne humeur.

Eddy, c'était une tout autre histoire. Ce gamin, à peine âgé de dix-huit ans, nous avait été recommandé par Peters qui s'était engagé à lui apprendre le métier. Il ne possédait aucune formation universitaire, contrairement à tous les employés de la Data, à l'exception de Peters qui détestait cordialement tout ce qui représentait une couleur académique.

C'était peut-être l'une des raisons de l'affection de Peters à son égard. Hacker* émérite, Eddy était connu de tous les saccageurs d'ordinateurs publics de la côte ouest sous le pseudonyme de Killer Pirat. Dès l'âge de quatorze ans, il se faisait un point d'honneur de percer la sécurité de tous les ordinateurs accessibles par réseaux au moyen de son micro-ordinateur personnel branché sur une ligne téléphonique. Cela pouvait paraître sans danger à première vue, sauf pour ce qui était de sa mauvaise habitude de laisser un tas de décombres sur son passage. Sa dernière cible, une compagnie de crédit de Los Angeles, s'était fait piquer la majeure partie de sa banque de données concernant ses clients. La remettre en état de fonctionner avait exigé un bon mois de travail et des déboursés considérables.

Cela se passait il y a deux ans, et des accusations avaient été portées contre Eddy dont la trace avait été retrouvée par un consultant en sécurité de Los Angeles. Celui-ci en avait parlé à Peters, soulignant qu'il serait dommage de se priver des talents d'un jeune aussi doué.

Toujours désireux de rendre service, Peters accepta de rencontrer le jeune fautif. Celui-ci se confia à Peters. Il admettait ses fautes mais ne pouvait promettre de ne plus recommencer. À quoi pouvait-il passer ses soirées, sinon à affronter des ordinateurs? Tout le reste l'ennuyait. Peters diagnostiqua immédiatement un cas de syndrome du «flipper» assez classique, mais doublé d'un potentiel exceptionnel.

Peters prit contact avec la société victime et un arrangement fut conclu. Eddy était de toute façon mineur et aucune accusation criminelle ne pouvait être portée contre lui. Comme signe de sa bonne volonté, Eddy s'engageait à verser une fraction de son salaire en guise de réparations symboliques. La compagnie avait accepté à la condition que Peters n'aille pas raconter dans tous les milieux qu'elle s'était fait pirater de l'information par un adolescent boutonneux.

C'est ainsi qu'Eddy fit son entrée à la Data, sous la protection de Peters. Il lui manquait une solide formation technique, admettait-il, mais Peters se chargeait de le former sur le tas. Buddy était sceptique mais il avait quand même accepté, surtout par amitié pour Peters. Les résultats avaient été étonnants.

J'allai me délasser les jambes du côté de la salle d'ordinateur, pensant peut-être y trouver Adams. Je devais le prévenir qu'une série de tests, différents de ceux des derniers jours, seraient mis en branle dès le lendemain matin. Il était passé deux heures du matin, mais si je me fiais aux nuits précédentes, Adams devait encore travailler.

Je passai la première porte blindée sous le regard amical du gardien que je saluai alors qu'il écoutait ses chansons western préférées sur son magnétophone à cassettes.

— Ne changez-vous donc jamais de bandes, monsieur Beaudoin?

— Pourquoi faire, monsieur Bourque, ce sont les plus belles chansons.

— Au rythme où vous les faites jouer, j'espère que vous avez des copies en réserve.

— Il me reste encore quelques années de service à la Transit, j'espère qu'elles tiendront jusque-là. Ça avance comme vous voulez, votre travail?

— Oui, oui. Auriez-vous vu monsieur Adams?

— Non, je sais seulement qu'il essayait de réparer les deux terminaux défectueux de certains courtiers. Vous savez, ces messieurs Skatch et Tremblay qui n'arrêtent pas de lui tomber dessus depuis deux jours. Yves a de nombreux problèmes ces derniers temps, pourtant ça ne lui ressemble pas.

— Ce n'est pas de sa faute, j'ai entendu dire qu'il

avait des tas de problèmes avec les lignes louées à la compagnie de téléphone.

— Oui, c'est ce qu'il dit à tout le monde. Maintenant, c'est la climatisation, mais on ne m'enlèvera pas de la tête que l'on gèle autant qu'avant dans cette salle.

— Peut-être, monsieur Beaudoin, mais n'oubliez pas que l'humidité peut avoir son mot à dire dans la bonne marche des circuits. Où avez-vous déniché ce blouson de cuir? demandai-je en pointant un magnifique blouson sur le rebord d'une chaise.

— Ça, dit-il en soulevant le blouson pour me le faire admirer, c'était quand j'étais dans la marine. Ça fait déjà un bout de temps, mais les choses étaient faites pour durer en ce temps-là. Pas comme ces ordinateurs que vous changez à tous les quatre ans. C'est d'ailleurs sur le destroyer Hudson où j'ai servi pour la première fois sous les ordres du lieutenant Beauchamp, maintenant directeur de la sécurité à la Monnaies Transit.

— Et comment était-il en mer?

— Il a toujours été un chic type, à qui on ne racontait pas de blagues, je ne sais pas si vous voyez ce que je veux dire.

— Je n'en doute pas, dis-je en lui rendant son sourire.

J'insérai ma carte magnétique et pénétrai dans la salle d'ordinateur. On devait en avoir vu passer des consultants en sécurité par ici, et la majorité avait dû leur piler sérieusement sur les pieds. De toute façon, ils n'y pouvaient pas grand-chose, ces militaires à la retraite, si on leur subtilisait de l'information électronique sous le nez. Leur travail consistait à tenir cette salle bouclée en tout temps et à fouiller les porte-documents à l'entrée et à la sortie.

Annie lisait un nouveau bouquin, les deux pieds bien étalés sur la console, pendant que les imprimantes crachaient leurs rapports financiers et leurs résumés des transactions. La Transit possédait des imprimantes ultra-rapides qui martelaient le papier avec un bruit d'enfer, et ce bruit associé au sourd bourdonnement des climatiseurs rendaient les conversations presque impossibles.

— Alors, Annie, pas trop de problèmes cette nuit?

— Les choses commencent à se tasser, dit-elle en criant presque. Mais il était temps que l'ordinateur se stabilise, on n'en voyait plus la fin. Ne seriez-vous pas derrière ce remue-ménage, par hasard?

— Yves n'ose tout de même pas me mettre tout ça sur le dos?

— Non, ce n'est pas du tout son genre. Mais, enfin, ses explications sont plutôt vaseuses. Quelquefois ce sont les télécommunications qui flanchent, ensuite c'est la climatisation, et maintenant il exprime des doutes sur la fiabilité de la machine.

Je pris le ton de l'expert, celui à mille dollars par jour.

— Vous savez, Annie, tous ces ordinateurs ont leur moment de dépression. Quelquefois, ils font un tas d'erreurs en ligne, et personne ne sait pourquoi. Le fabricant moins que tout autre. Ces machines sont tellement complexes que l'on ne parvient jamais à trouver la cause de certaines erreurs. Et puis, soudainement, tout rentre dans l'ordre.

— Comme une soudaine poussée de boutons, dit Annie avec un sourire en coin.

— C'est ça, cet ordinateur est dans une mauvaise période, cela lui passera.

Elle étouffa un bâillement de son poing et referma son bouquin.

— J'espère que ce mélange de dynamite dont j'alimente votre cafetière depuis trois jours est à votre goût. Prions pour qu'il ne vous stimule pas trop et ne vous incite à poser des gestes déplacés sur la série d'appareils et de terminaux que vous avez branchés sur l'ordinateur.

Parce que, vraiment, Yves ne tiendra pas le coup à ce rythme.

— Il tiendra, j'ai rarement vu quelqu'un d'aussi calé. Il remettra cette machine sur pied, vous verrez.

— Je n'en ai jamais douté, je m'inquiète seulement de sa santé. De votre côté, comment faites-vous pour tenir le coup? Un doigt de lait, trois comprimés d'amphétamine par tasse? Ce doit être la dose.

— Le mélange explosif que vous me distillez suffit amplement, je voudrais d'ailleurs vous remercier.

— Pas de quoi, dit-elle avec un sourire.

— À propos, dis-je, savez-vous où est passé Yves.

— Il est dans le bureau E-224, celui de monsieur Skatch. C'est au deuxième étage; désirez-vous le numéro de téléphone?

— Non merci, je vais descendre.

— Avant que vous ne partiez, que faites-vous samedi soir?

— Hum... travailler je suppose.

— Si vous voulez vous changer les idées, venez à mon atelier. J'inaugure ma nouvelle sculpture, celle à lunettes. Il y aura plein de monde, dont Yves évidemment puisque cette sculpture lui est dédiée. Alors si ça vous chante, tenez, voilà l'adresse.

Je pris une carte d'affaire au nom d'Annie Mail, sculpteur. Y étaient inscrits un numéro de téléphone et une adresse dans le Vieux Montréal. La carte était joliment présentée, sur fond rose et lettrage noir.

— Merci de m'avoir invité, j'essaierai d'être présent.

— Samedi, c'est demain, n'oubliez pas.

— Demain? Je perds un peu le fil des journées.

— Dormez un peu plus souvent, dit Annie avec un sourire.

Je pris l'ascenseur, sortis au deuxième, et me dirigeai vers le E-224. Sur la porte de chêne était inscrit TED SKATCH, COURTIER. Je poussai la porte entrouverte.

Yves Adams était assis dans le fauteuil de Skatch, me faisant face sans me voir, toute son attention dirigée sur un écran noir.

— Yves...

Adams ne réagit pas, ne fixant que cet écran désespérément vide.

— Yves...

Il porta lentement sa main gauche à la hauteur de la bouche, puis entreprit de se ronger les ongles en commençant par le petit doigt pour remonter minutieusement vers le pouce. Après avoir terminé, il délaissa l'écran quelques secondes pour s'assurer du résultat de son travail, puis satisfait, se remit à fixer l'écran. Il s'attaqua ensuite à la main droite, en procédant dans le même ordre. Il recommença le manège plusieurs fois, passant alternativement de la main gauche à la droite, tandis que l'écran demeurait toujours aussi noir.

— Yves...

Ses yeux pivotèrent lentement dans ma direction, me fixèrent quelques secondes, puis se mirent à clignoter furieusement.

— Alain?

— C'est bien moi. Ça va, Yves?

— Alain Bourque, le consultant en sécurité?

Pause.

— Celui qui n'arrête pas de foutre mon ordinateur en l'air?

— Écoute, Yves...

— Cela fait trois jours que le monde me tombe dessus, d'Amsterdam à Vancouver. Hier soir, j'ai même reçu un savon monstre de ces types de Londres à l'accent ridicule. À minuit pile. Et ce Harvey de ... je veux dire monsieur Harvey m'a laissé entendre sans équivoque que je devais prendre sur moi toute la responsabilité de ces failles. Je couvre tout, personne ne doit savoir que ces imbéciles de Los Angeles n'arrêtent pas de foutre le bordel depuis trois jours dans MON ORDINATEUR.

— Tout ceci n'est que passager, Yves...

— Ce n'est pas à cause de ces abrutis de Toronto qui n'ont pas encore appelé, mais qui comme toujours se contentent de dire à tout le monde que nous n'aurions pas ces problèmes si l'ordinateur était chez eux. Non, ça j'y suis habitué. Ce n'est pas non plus à cause de ces deux affreux de Skatch et Tremblay qui n'arrêtent pas de me tomber dessus depuis trois jours parce que leurs terminaux ne fonctionnent plus. Non plus. Ce n'est pas parce que je ne dors plus à force d'essayer de remettre cet ordinateur en état opérationnel à chaque fois que ce Peters éternue. Non, tout ça, je m'en fous. Je suis payé pour ça.

Il se leva lentement du bureau où il était assis, très digne.

— C'est ma réputation qui est sur la ligne, et ma réputation est en train de prendre un rude coup, merci. Vous comprenez, monsieur Bourque, MA RÉPUTATION!

— Tout le monde sait que tu es un informaticien de première force, Yves.

— Aaaaaahhhhh oui! Alors comment se fait-il que je ne sois pas capable de remettre ces deux écrans en état de fonctionner? Comment se fait-il que sur les quatre-vingt-deux terminaux de la Transit répartis sur deux continents, il faut que ce soit ces deux-là qui ne fonctionnent plus? Dont justement celui de Ted Skatch, le plus fort en gueule de tout le continent nord-américain?

— Si ces terminaux ne fonctionnent plus, change-les.

— Les changer! Voyez-vous ça, dit Adams en contournant son bureau pour venir se planter à quelques centimètres de mon visage. Ces deux terminaux sont en parfait état de marche. C'est l'ordinateur qui ne veut plus communiquer avec eux. Il refuse, oui monsieur. Et le

Saint-Esprit lui-même ne se paie pas un Q.I. assez élevé pour y comprendre quelque chose.

Il eut soudain une expression hargneuse.

— Tout ceci depuis que ce Peters plein de délicatesse a mis son nez là-dedans.

— Écoute, Yves, je peux te donner un coup de main.

Il me fixa pendant de longues secondes.

— Donne-moi plutôt l'excuse que je pourrais fournir à Skatch demain matin.

— Huuuuum, beaucoup plus difficile.

— Au moins tu es honnête, dit Adams avec un soupir. J'espère que tu as de bonnes raisons pour tout ficher en l'air comme tu le fais depuis trois jours. Tu ne fais quand même pas ça pour en mettre plein la vue à tes clients, hein? Dis-moi que cela servira vraiment à quelque chose.

— Je ne vois pas comment je pourrais impressionner mes clients en faisant sauter sans arrêt leur système informatique.

Adams eut un petit sourire.

— Tu ne vois vraiment pas le genre? S'il y a quelque chose qui cloche, nous le trouverons. Puis un peu plus tard: voyez ce que nous avons fait à votre machine. S'il y avait quelque chose à découvrir, nous aurions mis la main dessus...

— Tu n'as pas à t'inquiéter, je fais tout ça pour le bon motif.

— Lequel? demanda Adams intéressé.

— L'argent. Le seul moyen de gagner gros, c'est de donner ce que le client désire, et de le donner vite. Tes patrons veulent un rapport musclé, Yves, qui s'appuie sur des données réalistes. Ils veulent une certitude quant à la fiabilité de leur ordinateur. Nous la leur donnerons. Si nous ne réussissons pas à percer le système de défense, personne ne le pourra.

Adams me fixa un long moment sans rien dire, puis se permit un mince sourire.

— Tu n'es vraiment pas comme les autres consultants qui sont passés dans cette boîte, tu sais. Tu es...direct.

Je haussai les épaules.

— Je ne donne que ce que tes patrons désirent, Yves. Mais la situation serait autrement plus sérieuse si tu ne tenais pas cette machine à bout de bras. Tu répares les pots cassés de main de maître et crois-moi, tes employeurs en sont conscients.

— Ils te l'ont dit? demanda Adams en essayant de cacher son intérêt.

— Comment ne pourraient-ils pas voir que tu te démènes comme un bon diable pour eux? Je leur en ai parlé, mentis-je sans vergogne, et ils ont très bien réagi. Tu sais que ce Fenders est avare de compliments, mais dans ton cas les quelques mots qu'il a eus ont démontré toute la confiance qu'il te porte.

— Tu as parlé à Fenders? Le président du conseil?

— Il est conscient que tu es un rouage essentiel de l'affaire, Yves.

Adams eut tout de même l'air assez satisfait. Peut-être se voyait-il promu à un nouvel échelon dans la compagnie ou son esprit envisageait-il un substantiel bonus à la fin de l'année, toujours est-il qu'il commença à envisager la situation avec plus de sérénité.

— Au diable Skatch et son écran, dit-il. Il n'est pas déjà quatre heures du matin?

— Eh oui! Je suis venu t'annoncer une bonne nouvelle. Nous délaissons la série de tests plutôt meurtriers des derniers jours pour attaquer d'une autre façon. Cette fois c'est vrai, il n'y a aucun danger que ça saute.

— Humm, on peut en douter. Mais de toute façon, demain, c'est samedi. Les opérations fonctionnent au ralenti.

— Mais elles fonctionnent quand même, non?

— Oui, on peut dire que le volume des transactions du samedi équivaut à environ le quart d'une journée normale. Mais comme les opérations ont été plutôt perturbées ces derniers jours, on peut s'attendre à ce que beaucoup de courtiers se reprennent en fin de semaine.

— Alors mes tests seront valables, dis-je.

Adams me dévisagea un moment.

— Il y aura sûrement des effets secondaires, non?

— Comme je te dis, aucun danger de panne. Seulement, tout le système ralentira.

— Ralentira comment? demanda Adams soudain soupçonneux.

— D'après nos prévisions les plus pessimistes, l'ordinateur répondra aux demandes d'information des usagers quatre fois plus lentement que le délai normal.

Adams s'inclina dans ma direction dans un angle vraiment incroyable, comme s'il se désintéressait totalement des lois de la gravité.

— Quatre fois le délai normal?

— Au pire.

Il y eut un long silence, puis Adams revint lentement à une position s'approchant de la verticale. Il alla enfin s'asseoir sur le rebord du bureau et entreprit de se frotter doucement les yeux. Ses lunettes tressautèrent bizarrement. Quand il les eut remis en place, ce fut pour me lancer un regard très appuyé.

— L'ordinateur va quand même se tenir debout?

— Il ne tombera pas en panne, du moins pour demain.

— Eh bien, dit-il avec un soupir, nos amis de Londres, Amsterdam, Toronto, Montréal, New York et tous les autres attendront simplement dix minutes à chacune de leurs requêtes. Voilà qui leur laissera amplement de temps pour la méditation. Et tant qu'à y être, je m'y mettrai moi aussi. Je débrancherai tout simplement mes deux téléphones.

Nous nous sommes quittés cette nuit-là sur un très bon rapport et Adams insista même pour me reconduire. Nous nous serrâmes la main, Adams démarra, mais je n'entrai pas à cet hôtel et continuai ma route à pied. L'hôtel où je résidais vraiment était à quelques rues de là. Tout en regardant l'aube se lever entre les gratte-ciel, je m'interrogeais sérieusement sur Yves Adams. Mais mes réflexions m'apportaient plus de questions que de réponses. Celui-ci était soit un naïf exemplaire, soit une fripouille de grande classe.

VII

On n'en sait jamais trop, comme on n'est jamais trop riche

Dès le lendemain matin, les événements commencèrent à se précipiter. Cela débuta par une visite d'Anthony au petit déjeuner. Celui-ci n'ouvrit la bouche qu'après la deuxième tasse de café, et encore, ce ne fut que pour enfourner ses oeufs et son bacon. Après avoir soigneusement essuyé son assiette avec sa quatrième tranche de pain, Anthony s'alluma une de ses infâmes cigarettes turques et s'affala sur sa chaise.

— Faut m'excuser, Alain, j'arrive directement de Los Angeles par l'avion de nuit, et tu sais combien ces voyages en avion me foutent la trouille, spécialement ceux effectués de nuit. Le seul moyen que j'ai trouvé pour lutter efficacement contre le décalage horaire qui rallonge mes journées, c'est d'avaler quatre repas par jour.

— Que viens-tu faire à Montréal, Anthony? Sûrement pas la tournée des restaurants français de la ville.

— Je préfère ceux de San Francisco, on peut les atteindre par la route. Buddy ne t'a pas parlé?

— J'ai passé les trois derniers jours en communication presque constante avec l'équipe de L.A. Peut-être a-t-il essayé de me rejoindre entre-temps. Mais je n'ai rien reçu de lui.

Anthony haussa les épaules et se passa la main dans les cheveux pour les renvoyer vers l'arrière d'un geste qui lui était familier.

— De toute façon, mes directives sont précises. Tu jouis dès la minute présente d'une protection rapprochée, je suis ici pour m'occuper des détails.

Anthony prit une gorgée de café et haussa le sourcil devant mon air ahuri.

— Ce n'est donc pas toi qui es à l'origine de la demande de mise en place d'un dispositif de protection?

— Nous n'avons encore établi aucun contact avec les soi-disant compétiteurs, on ne sait rien de la méthode de piratage utilisée et il n'est d'ailleurs absolument pas prouvé que l'origine de ces fuites provienne du système informatique. Alors pourquoi aurais-je besoin d'une protection?

Anthony soupira en écrasant son mégot malodorant dans le cendrier.

— Est-ce que je sais, moi. J'agis sur les ordres de Buddy. Je n'ai reçu aucune information portant à croire que tu étais en difficulté, seulement des directives pour tout mettre en place dès ce matin. Peut-être Buddy possède-t-il des informations auxquelles tu n'as pas accès, peut-être a-t-il reçu certaines menaces, ou peut-être le client est-il particulièrement nerveux. Compte sur Buddy pour te fournir des explications, moi je ne m'occupe que du dispositif de sécurité.

— Buddy ne t'a laissé aucun message à mon intention?

— Aucun, dit Anthony, je croyais que tout était arrangé entre vous. Voyons, ne fais pas cette tête, je ne fais qu'appliquer les directives. Alors déverse ta mauvaise humeur sur Buddy quand tu le verras.

Je n'étais pas furieux, simplement soucieux. Cela ne cadrait pas du tout avec nos scénarios de protection habituels. Nous attendions d'abord un acte d'intimidation venu des gens d'en face, qui d'ailleurs ne se produisait que dans dix pour cent des cas, avant d'adopter une série de contre-mesures graduelles. Le but visé n'était jamais l'affrontement, mais simplement de faire connaître notre ferme détermination de ne pas reculer d'un millimètre. Cela pouvait aller loin, mais je n'avais eu connaissance que d'un seul cas où la Data Security avait dû user de la manière forte pour faire reculer l'adversaire.

— Quel type de protection as-tu prévu, Anthony?

— Protection serrée: les amis te suivront à l'aller et au retour des bureaux du client. Ils logeront à ton hôtel sur le même étage, leur chambre est déjà réservée; ils dîneront à la table voisine de la tienne et tiendront une stricte comptabilité de tes consommations d'alcool, conclut-il en souriant.

Il me regarda un moment pour s'assurer que j'avais bien compris, puis visiblement satisfait de mon air désabusé qui pouvait passer pour une acceptation, il me fit part des détails de son plan.

— Une équipe débarque de New York aujourd'hui et ces gens devraient communiquer avec toi dès ce soir. Bien entendu, il aurait été beaucoup plus économique d'engager une équipe sur place, mais nous n'avons pas assez de contacts sûrs à Montréal. Ces gens nous ont bien servis dans le passé et ils possèdent le doigté nécessaire pour ce genre de situation. Les directives de Buddy sont claires: tu ne sors pas sans être accompagné, d'accord?

— Ces directives me semblent un peu prématurées, Anthony.

— Si Buddy, et par conséquent le client, a décidé d'assumer les frais qu'exige l'embauche de tels spécialistes, c'est qu'il a des raisons autres que celle de te fournir de la compagnie. Certaines dames coûtent beaucoup moins cher...

— Je suis né à Montréal, Anthony.

— Qu'importe, le raisonnement tient toujours. Et puis qu'est-ce que cela peut te faire si la Transit paie pour te procurer des anges gardiens? Tu n'as qu'à ne pas regarder dans leur direction. De plus tu seras en sécurité quand tu sortiras le soir.

J'eus un haussement d'épaules qui laissait place à toutes les interprétations.

— D'accord, d'accord, j'en parlerai à Buddy.

— Bien, dit Anthony d'un air satisfait, passons maintenant aux choses sérieuses: as-tu passé l'aspirateur dans ta chambre aujourd'hui?

L'aspirateur était le terme consacré pour parler des détecteurs de micros. Cette expression venait d'une réflexion de Buddy qui comparait sans cesse les équipes de la Data à des brigades de ménagères. Dans le même ordre d'idées, on parlait de souris pour les programmes piégés qui faisaient ressembler à des morceaux de gruyère les banques de données supposément confidentielles. Puis naturellement on en était venu à parler de trappe à souris pour signifier les détecteurs d'écoute installés sur les canaux de communication.

— Je laisse le ménage au personnel de l'hôtel et je ne vois pas pourquoi il y aurait plus que de la poussière à ramasser dans cette chambre. Si ça peut faire plaisir à un quelconque compétiteur d'écouter mes ronflements, tant mieux pour lui. Quant à moi, je ne communique que par micro-ordinateur et mes communications sont codées.

— Bien sûr, dit Anthony, mais nous ne laisserons rien au hasard. Peut-être parles-tu en dormant?

— Possible, dis-je en lui rendant son sourire, mais je rêve rarement de travail.

— Je l'espère pour toi, déjà que vous ne dormez pas beaucoup dans ce métier-là. Le détecteur de micros est-il encore dans ton bureau chez le client?

— Exact.

— Alors, nous allons le chercher ensemble et je ferai

le ménage de ta chambre.

— Trop aimable. Alors allons-y, à moins que tu n'aies pas encore terminé ton petit déjeuner?

— Toujours sur la brèche, hein? dit Anthony en me tapotant le bras. C'est vrai que vous devez impressionner les clients avec votre air décidé. Nous y allons à pied? Alors ne marche pas trop vite, veux-tu?

— Veux-tu que je te roule jusque-là, Anthony? Le chemin est en pente très douce.

— Très drôle, l'humour français, hein?

Une marche rapide nous amena à la Transit. Je dus signer à la réception pour Anthony et nous sommes montés directement au bureau. Je fermai la porte, sortis le détecteur de sa valise de métal et le lui remis.

— Un Spears 2000, apprécia-t-il, je ne savais pas que nous les avions reçus. Commençons par vérifier cette pièce, veux-tu?

— À ton aise, Anthony, tu es en charge des travaux ménagers.

Anthony ouvrit le couvercle parabolique du détecteur, le fixa sur son support rotatif et déplia l'antenne circulaire. Il effectua quelques réglages, puis satisfait du résultat apparu à l'écran, il se mit à balayer la pièce dans ses moindres recoins.

— Ferme ces deux terminaux sur le bureau ainsi que le micro-ordinateur, cela provoque des interférences.

Je m'exécutai, et Anthony revint ausculter une nouvelle fois les contours de la fenêtre. Satisfait, il repassa encore une fois la pièce au peigne fin. Quand il eut terminé, il sortit un mince tournevis de son veston et entreprit de démonter le téléphone. Il l'examina soigneusement, le remit en place, puis pointa le micro-ordinateur.

— Tu l'as vérifié?

— Toutes les communications sont codées, Anthony.

— Ce n'est pas de ça dont je parle, mais de micros. Peters m'a déjà parlé d'un tout nouveau gadget allemand: un micro que tu branches sur un équipement électronique et qui ne se met à émettre que lorsque l'appareil est en fonctionnement. Les interférences ainsi produites empêchent toute détection. Comme c'est davantage ton rayon que le mien, vérifie-le, veux-tu, ainsi que les deux terminaux. Autant faire du bon travail, pas vrai?

Je démontai les appareils et vérifiai les cartes de circuit. Tout semblait en ordre.

— Tout est correct, dis-je en replaçant les couvercles de plastique.

— Eh bien, nous voilà assurés que ton intimité est sauvegardée dans cette pièce. Si tu me donnes les clés, je pourrai de ce pas m'attaquer à ta chambre d'hôtel.

— Comment vais-je les récupérer?

— Lâche-moi un coup de fil avant le déjeuner, nous irons casser la croûte ensemble.

— Bonne idée. Au fait, à quel hôtel es-tu descendu?

— Le même que le tien. Inutile de se cacher, vu que c'est moi qui assure ta protection jusqu'à l'arrivée de l'équipe.

— Directives de Buddy ou zèle professionnel? demandai-je en reluquant le physique court et replet d'Anthony.

— Directives de Buddy, dit sobrement Anthony.

Je le regardai un moment, perplexe. On pouvait toujours faire des blagues sur la taile d'Anthony qui n'avait pas mauvais caractère et qui prenait tout avec philosophie, mais ce n'était pas pour rien que Buddy lui avait confié les opérations difficiles de la Data Security.

— Tu es outillé, Anthony?

— Affirmatif, Alain.

Il eut un sourire un peu triste et souleva un pan de son veston. Fiché dans sa ceinture, on pouvait voir un holster chargé d'un colt à canon court. Je m'étais habitué, avec les années, au caractère particulièrement affiné de la paranoïa d'Anthony, mais c'était bien la première fois que je le voyais affublé d'un revolver.

J'eus une réaction un peu idiote, mais ce devait être l'effet de la surprise.

— Tu te ferais descendre pour moi, Anthony?

Celui-ci sourit largement et me donna une bourrade amicale sur l'épaule.

— Nous n'en sommes pas encore rendus là et les spécialistes débarquent dans quelques heures pour régler ce délicat problème de conscience. Mais tu peux être assuré que j'analyserais soigneusement la relation chèque-de-paie-boulot avant de me jeter devant.

— Ce revolver, est-ce aussi une directive de Buddy?

— Ses directives étaient de te fournir une protection rapprochée dès ce matin. Cela sous-entendait ou non certaines choses, mais c'est ainsi que moi je l'entends. Allons, j'attends ton coup de téléphone pour le déjeuner, dit-il en se dirigeant vers la porte.

Je n'aime pas particulièrement les surprises et successivement je venais d'assister à trois premières: un scénario de protection installé en catastrophe, Anthony armé et, en corollaire, l'apparition d'armes à feu dans les opérations de la Data Security.

Jusqu'à maintenant, je n'avais participé qu'à des joutes de compétences plutôt féroces où à peu près tous les coups étaient permis, mais on demeurait entre cols blancs. Le travail physique était réservé à des firmes engagées à cet effet et généreusement rémunérées. Si ces gens devaient se promener avec des revolvers afin d'assurer notre sécurité, cela les regardait. Mais dans le cas d'Anthony, ce n'était plus quelqu'un de l'extérieur, mais bien quelqu'un de la Data Security qui montait au front, revolver au poing. Je décidai de tirer cela au clair au plus vite avec Buddy.

J'appelai d'abord Los Angeles où j'eus rapidement

Joy au bout du fil.

— Bonjour, Alain, je suis contente de t'entendre. Comment les choses évoluent-elles à Montréal?

— Elles suivent leur cours, chère Joy; où puis-je rejoindre Buddy?

— Aux dernières nouvelles, il était à Toronto pour y rencontrer monsieur Harry Fenders, le président de la Monnaies Transit.

— Y est-il encore?

— Je ne sais pas. En fait, Buddy et moi ne communiquons plus que par réseau depuis trois semaines. Il n'arrête pas de se déplacer et je ne sais plus où donner de la tête.

— Il n'a laissé aucun numéro de téléphone?

— Désolée, Alain, je ne le rejoins plus que par la boîte aux lettres où je lui transmets ses messages ainsi que les informations qu'il demande. Il m'envoie ses directives de la même manière ou parfois il me téléphone d'un des quatre coins de l'Amérique. Mais ce n'est pas de cette manière qu'il pourra me signer les documents légaux et les demandes de versement de fonds. On ne cesse de me harceler au téléphone pour exiger la présence de Buddy ou du moins sa signature.

— Je compatis, Joy, mais n'y a-t-il vraiment pas moyen de lui mettre la main dessus autrement que par communication-réseau?

— Je suis désolée, Alain.

C'était l'un des problèmes engendrés par une utilisation trop intensive des réseaux de télécommunication. Il suffisait de brancher son micro-ordinateur sur n'importe quel téléphone en Amérique, entrer en contact avec le réseau et donner l'adresse-réseau de votre correspondant pour entrer en communication avec lui. Si aucun ordinateur n'était en attente à l'autre bout ou si la ligne était occupée, l'ordinateur gérant le réseau se chargeait de garder votre message en mémoire. De la même manière, on pouvait avoir accès à des fichiers de l'ordinateur central afin d'y emmagasiner de l'information disponible à quiconque dévoilait les codes d'accès nécessaires. On appelait cette méthode de communication la «boîte aux lettres».

Mais il y avait un petit problème: personne ne se souciait plus de laisser ses coordonnées. Il suffisait de consulter les messages retenus et de ne répondre qu'à ceux qui nous plaisaient. Situation absurde où dans un monde voué aux communications instantanées, il devenait de plus en plus difficile de rejoindre ses correspondants.

— Transmets-lui le message de me rappeler.

— Bien sûr. Autre chose?

— Ça ira, merci.

Sa voix se fit un brin hésitante.

— J'ai appris ce qui s'était passé entre Chris et toi et je voulais te dire que tu m'en vois désolée.

— Ça devait arriver un jour ou l'autre. Je te remercie pour les fleurs, c'était un beau geste.

— Je suis contente que tu aies apprécié.

— Alors merci, à bientôt.

Il était inutile de tenter de rejoindre Buddy au moyen de sa mallette-téléphone, celle-ci ne couvrant que les zones de Los Angeles, Boston et New York, et tout indiquait que Buddy était au Canada. Tenter de rejoindre Buddy par le canal de Fenders était hors de question, voilà qui ferait la plus mauvaise impression sur un client.

Comme je ne pouvais qu'attendre que Buddy daigne bien donner de ses nouvelles, je me remis au travail. Quelques commandes au terminal m'indiquèrent d'abord que les programmes de diagnostic de puissance étaient en opération et qu'en conséquence l'ordinateur ne répondait plus aux demandes des courtiers qu'après un temps d'attente anormalement long.

Je tapai ensuite sur les touches de commande afin

d'obtenir la liste des usagers de l'ordinateur. Yves Adams était à son poste et une vingtaine de courtiers s'employaient à rattraper le temps perdu. J'osais espérer que les encouragements que j'avais fournis la veille à Adams l'aideraient dans son moral quand il aurait à essuyer les remarques désobligeantes des courtiers. Ceux-ci ne se gêneraient sûrement pas pour lui dire qu'il était inutile de rentrer un samedi pour travailler sur un ordinateur aussi lent.

Je me mis ensuite à l'étude de certains programmes de télécommunication qui m'apparaissaient plus vulnérables que d'autres, et la matinée passa rapidement. Anthony m'appela vers les deux heures et rendez-vous fut pris pour aller déjeuner dans un petit restaurant tout près que lui avait recommandé le chef de l'hôtel.

Anthony vint me chercher à la réception de la Transit et nous avons pris le taxi pour nous rendre au restaurant. L'endroit était chic, plutôt petit et semblait composé d'une clientèle d'habitués. Des hommes d'affaires aux complets sombres surtout, et quelques femmes ici et là rompant la monotonie des couleurs. Anthony choisit une table dans le fond, dans un coin où était accrochées quelques toiles éclairées par de petits néons.

— Ne commande pas tout de suite, dit-il en me voyant consulter la carte, nous avons de la compagnie.

— Buddy?

— Exact, il arrive dans quelques minutes. Enfin, c'est ce qu'il a dit. Nous avons le temps de prendre un apéritif.

Anthony commanda un martini et je pris un scotch coupé de beaucoup d'eau.

— Depuis quand est-il à Montréal?

— Je ne sais pas, répondit Anthony avec un haussement d'épaules, il m'a rejoint par téléphone ce matin, peu après que nous nous soyons quittés. Tout ce que je peux affirmer, c'est qu'il a dû passer la majeure partie des dernières semaines dans des avions.

— Pas très difficile à deviner, il ne cesse d'écumer le triangle Los Angeles - Montréal - New York depuis trois ans.

— Ce n'est pas pour rien qu'il a pris des parts dans la compagnie d'aviation qu'il utilise. Tu connais Buddy: pas de petits profits. Au fait, j'ai fouillé ta chambre et je n'ai rien trouvé.

— Pas étonnant, dis-je, il serait stupide à un quelconque compétiteur de se manifester de cette façon. Personne ne doit ignorer l'existence de détecteurs d'écoute.

— Il ne faut jamais sublimer le potentiel de l'adversaire, dit sentencieusement Anthony. Qui te dit que nous ne faisons pas affaire à des ploucs?

— Possible, dis-je, mais la façon dont évolue l'affaire m'en fait douter.

— Tu gardes toujours le codeur-décodeur sur toi, n'est-ce pas?

Je n'eus qu'à regarder Anthony.

— D'accord, dit celui-ci, je me la boucle. Mais même les plus expérimentés peuvent avoir certains oublis.

Buddy fit son entrée dix minutes plus tard, le veston largement ouvert et marchant d'un pas allègre au travers de la salle à manger.

— Belle journée, n'est-ce pas? dit-il en prenant place. J'aime assez ce coin de la ville avec tous ces anciens édifices. Comment s'appelle ce quartier déjà?

— Le Vieux Montréal, dis-je en finissant mon verre.

— C'est ça, dit Buddy avec l'air satisfait de celui qui vient de dénicher un nouvel endroit pour ses vacances.

— Commandons tout de suite, dit Anthony, nous aurons tout le temps de discuter après.

Buddy ne daigna même pas consulter la carte et commanda un steak, Anthony tendit un bout de papier sur lequel étaient inscrits quelques plats en français.

— Les suggestions du gérant de l'hôtel, dit-il simplement.

Je choisis le menu du jour.

— Maintenant passons aux choses sérieuses, dit Buddy. Fenders soupçonne quelques personnes parmi le personnel dirigeant et selon lui, certains ont commencé à s'agiter sérieusement depuis hier. Que s'est-il passé depuis hier, Alain?

— Nous avons abandonné l'hypothèse d'une infiltration à partir de l'extérieur et nous pensons plutôt à un coulage de l'information de l'intérieur.

— Et qui est au courant?

— L'équipe de soutien et moi, c'est tout.

Buddy s'installa plus confortablement sur sa chaise et se mit à réfléchir. Puis il se tourna vers Anthony.

— Tu as tout nettoyé, Anthony?

— Ménage complet, répondit seulement celui-ci.

— Hum... et ce Adams?

— Il était trop occupé à remettre sans cesse le système sur pied pour avoir vraiment pu suivre les développements de l'affaire. Mais enfin, tout est possible.

— Évidemment, dit Buddy... Tu n'as rien dit de tout ça à Harvey?

— Je le tiens régulièrement informé des développements. Je lui ai laissé entendre qu'il y avait un changement de cap. Est-il suspect?

— Je ne sais pas, dit Buddy avec un air profondément ennuyé. Seul Fenders possède toutes les cartes et nous n'en sommes qu'une parmi d'autres.

— Jolie situation, dis-je.

Les repas arrivèrent sur la table et nous mangeâmes un bout de temps en silence. À mesure que ses plats lui étaient servis, Anthony se les faisait expliquer par le maître d'hôtel en hochant la tête d'un approbateur.

— Pourquoi cette soudaine protection autour

de moi?

— C'est Fenders qui nous l'a demandé. Ce n'est pas parce que des menaces ont été proférées contre toi, non c'est pour une autre raison.

— Un signal?

— Si tu veux. Je crois qu'il tient simplement à montrer à quelqu'un qu'il prend la situation très au sérieux.

— A-t-on une quelconque idée de l'identité de ce quelqu'un?

Buddy mâcha longuement son morceau de steak avant de laisser tomber:

— Le client de nos compétiteurs. Fenders ne sait comment on lui pique de l'information, mais il semble avoir une bonne idée de l'identité de ceux à qui cela profite.

— T'a-t-il donné un nom?

— Rien du tout, dit Buddy d'un air dégoûté. Ce type est aussi bavard qu'un ordinateur du Pentagone. Le seul aspect positif de son mutisme est de signer de gros chèques sans commentaires.

— Mais ce quelqu'un est-il relié aux dirigeants de la Monnaies Transit?

— Cela semble être l'opinion de Fenders, mais il ne tient pas à nous voir oeuvrer de ce côté. Nous nous chargeons du nettoyage de l'ordinateur, et il s'occupe de la taupe.

— Bien, dis-je. Alors prenons pour acquis que ce quelqu'un est un dirigeant de la Transit et se trouve informé de notre changement de cap. Mais comment a-t-il pu être mis au courant? Tu en as parlé à Fenders?

— Je ne savais rien avant cet après-midi, comment aurais-je pu lui en parler? Cela ne peut venir que d'une fuite de ton côté. Tu n'as rien dit de sérieux au téléphone?

— Si, pour commander un sandwich au restaurant

de l'hôtel.

Buddy me dévisagea un moment.

— D'accord, cela clôt la question. De toute façon, nous nous perdons en hypothèses dans cette histoire. Anthony, quand l'équipe de sécurité sera-t-elle sur place?

— Vers la fin de l'après-midi. Une voiture équipée d'une radio-téléphone les attend à l'aéroport. Voici le numéro de téléphone, dit Anthony en me tendant un bout de papier. Ils seront logés à la chambre 906 de ton hôtel. Ils te couvriront dans tous tes déplacements à l'exception des locaux de la Transit.

Je commençais à devenir de mauvaise humeur. Peut-être cela découlait-il d'une déformation professionnelle mais je détestais qu'on me cache de l'information. Je ne répondis pas à Anthony et m'adressai directement à Buddy.

— Écoute, que manigance ce Fenders?

— Ce n'est pas de nos affaires, nous sommes engagés pour nettoyer un ordinateur, un point c'est tout.

— Ça, c'était avant qu'Anthony me montre son revolver. Nous n'avons jamais utilisé une telle stratégie. C'est bien la première fois que nous prenons une initiative de ce genre avant que nos compétiteurs n'aient fait le premier mouvement.

Buddy fixa Anthony, mais celui-ci considérait pensivement son verre vide.

— Tu n'es menacé en aucune façon dans cette histoire, dit Buddy d'un ton apaisant. Et puis nous n'attaquons personne en te faisant protéger à ce que je sache. Nous prenons simplement soin de ta santé et nous envoyons un signal de la part de Fenders.

— Et ce quelqu'un d'en face, comment fera-t-il pour envoyer un signal à Fenders? En me faisant descendre?

Il y eut un silence lourd, que Buddy brisa heureusement en commandant du scotch pour tout le monde. Je remarquai qu'Anthony me fixait d'un drôle d'air, pendant que Buddy sortait son stylo plaqué or et commençait à jouer des doigts sur la table, un geste qui lui était familier dans les situations tendues. Ce stylo lui avait été offert par son père à sa majorité et il représentait beaucoup pour lui. Il ne l'utilisait que dans des circonstances exceptionnelles, comme la signature d'un contrat particulièrement lucratif.

Buddy attendit que le serveur eut apporté les consommations, puis reprit froidement:

— Je te ferai remarquer que nous avons déjà dû faire face à des situations beaucoup plus dramatiques. Nous avons toujours pris certains risques calculés et celui-ci est du même ordre. Tu réagis un peu fort. Commencerais-tu à te dégonfler?

Je fus surpris de la réaction de Buddy. Pour qui me prenait-il? On ne pouvait servir un tel raisonnement qu'à un novice. Bien sûr, nous avions toujours pris des risques, mais avec une mentalité d'hommes d'affaires. Nous refusions les risques inutiles, qui ne sont jamais payants, ces risques qui ne bénéficient exclusivement qu'à une tierce partie. C'est bien ce qui m'apparaissait être le cas actuellement.

Les propos de Buddy étaient pure rhétorique. N'avoir peur de rien, pour un informaticien, ça voulait dire être prêts à affronter n'importe quel ordinateur, en tout temps, dans les pires conditions de stress. Mais nous ne pouvions demander à des «*cracks* à lunettes» de jouer les James Bond.

— Nous avons certes vécu des situations délicates, dis-je, mais toujours dans des environnements contrôlés. Nous savions où nous nous dirigions et contrôlions nos pions en conséquence. Quant à moi, je n'ai pas du tout l'impression de contrôler quoi que ce soit depuis que je suis entré à la Monnaies transit. C'est Fenders qui avance les pions et qui décide d'utiliser de gros bras, et je te ferai remarquer que ceux-ci doivent être dirigés avec beaucoup de doigté. Or, sans vouloir vexer un gros client, la seule rencontre que j'ai eue avec Fenders ne m'a pas permis de déceler beaucoup de finesse chez ce type.

— C'est nous qui avons engagé cette équipe, dit Buddy, et nous la contrôlons totalement.

Je me tournai vers Anthony.

— Tu contrôles cette équipe, Anthony?

— Ils ont reçu leurs directives de nous.

— Quelles sont ces directives?

— Te protéger vingt-quatre heures sur vingt-quatre, répondit-il en haussant les épaules.

— Y a-t-il eu d'autres équipes engagées?

Anthony ne répondit pas.

— Depuis quand t'occupes-tu de ce volet des opérations? demanda Buddy avec humeur. Personne ne te pose des questions d'ordre technique à ce que je sache, ni te questionne sur la situation politique à l'intérieur de la société cliente.

— Bien, dis-je, alors soyons clairs. Je n'aime pas du tout cette situation et je me pose deux questions sur Fenders: qui est derrière et surtout qui est devant?

Buddy s'affala sur sa chaise et me regarda un moment. Puis il se tourna vers Anthony.

— Tu as terminé ton scotch, Anthony?

— Oui, répondit-il, l'air soulagé.

Il se leva et s'apprêta à partir en prenant sa note.

— Laisse la note, dit Buddy.

Anthony remercia d'un signe de tête et prit congé. Buddy reprit son stylo et se remit à pianoter sur un napperon sans se soucier des taches d'encre que cela occasionnait. Il s'agita un long moment en silence, puis enfin releva la tête.

— Tu te souviens de ce que tu m'avais raconté lors de ton entrevue, voilà sept ans? Je m'en souviens encore. Je m'inquiétais quant au fait d'engager un type qui pouvait à tout moment avoir l'idée de revenir vivre dans son patelin. Tu m'as répondu qu'il n'était pas question que tu y retournes avant longtemps. La raison était évidente, m'as-tu expliqué: on ne devient le meilleur qu'en affrontant les plus *crack*, et ces types se trouvaient tous en Californie à cette époque. S'ils avaient élu domicile en Nouvelle-Guinée, tu y aurais déménagé aussi sec.

Buddy contempla les glaçons dans son verre et il les fit s'entrechoquer.

— C'était une excellente réponse, et j'ai décidé de te prendre à mon service.

Il prit une nouvelle gorgée de whisky en prenant tout son temps pour déguster. Puis il me regarda droit dans les yeux.

— Je n'ai jamais regretté de t'avoir engagé ce jour-là. Toi et Peters êtes devenus mes gros canons, et vous seuls pouvez résoudre cette affaire. C'est une affaire difficile, je l'admets. Mais le métier est le métier. Tu as accepté ce contrat et tu vas le mener à terme, point à la ligne.

J'ai toujours eu de l'amitié pour Buddy, même si peut-être elle s'est refroidie par la suite. Mais surtout de l'admiration. D'abord pour ce type de performance qu'il venait de me servir, ensuite pour son habileté légendaire à noyer le poisson.

Buddy avait compris très tôt que le contrôle d'une situation appartient à qui possède l'information. Il maniait donc les demi-vérités avec beaucoup d'habileté. Cette habitude prudente était le résultat d'une mentalité d'entrepreneurship typiquement américaine qui poussait certains consultants à court-circuiter leur patron pour partir à leur propre compte, la méthode la plus efficace et la plus éprouvée de se lancer en affaires étant de voler les clients de son patron.

Buddy tenait beaucoup à ses clients, de la même façon que son père était très attaché à son troupeau de vaches, aimait-il à répéter. C'est pourquoi il tenait ses techniciens à distance, ne leur fournissant que les renseignements tout à fait indispensables sur la société où ils avaient à enquêter.

Mais dans le cas présent, je n'avais pas du tout l'intention de me contenter de demi-vérités. Il était inutile d'espérer obtenir une vue complète de la situation, Buddy ne se résoudrait jamais à la donner. Mais je tenais à savoir à qui j'avais affaire.

— Buddy, la question est: qui est devant Fenders? Point.

Celui-ci sembla à nouveau contrarié.

— Je te dis que ce travail est sans danger. Ton travail consiste dès lors à cesser de poser des questions et à colmater la brèche dans l'ordinateur du client, ne serait-ce que pour justifier tes mille dollars par jour et le bonus atomique qui en résultera si tu réussis.

— Je pourrais en gagner presque autant chez tous tes concurrents, dis-je d'un ton plus dur. La question est: qui est devant Fenders?

Buddy pianota un long moment en silence. Puis il partit d'un grand rire. Ce genre de réparties finissait toujours par le mettre de bonne humeur. Il commanda une nouvelle tournée de scotch et se permit quelques remarques désobligeantes au serveur sur l'état des napperons. Puis il reprit:

— Bien, mais si jamais nous devions en arriver là, promets-moi de ne pas te faire engager par ce tordu de Passey.

— Il n'y aurait aucun plaisir à travailler avec un type pareil, dis-je, il a beaucoup trop de principes.

— Parfaitement d'accord. Alors jouons cartes sur table, si c'est ce que tu désires. Nous ne contrôlons pas toute la situation, en effet, ce qui est regrettable. Mais il était entendu dès le départ que la partie serait difficile. Fenders a de gros problèmes avec son conseil d'administration et les membres de ce conseil lui remettent constamment sous le nez l'affaire des terrains manitobains, pour ne citer que celle-là. Parce que ce n'est pas la première fois que la Monnaies Transit perd la face. Par conséquent, l'autorité de Fenders est remise en question au conseil où d'ailleurs nous avons de nombreux membres contre nous.

— Notre engagement ne fait donc pas l'unanimité à la Transit?

— Disons que pour l'instant, nous avons la majorité du conseil pour nous, ce qui pourrait changer si des résultats rapides ne sont pas obtenus. Mais pour le moment Fenders tient le chéquier de la Transit bien en main, ce qui assure nos arrières. Mais si Fenders tombe, nous ne tiendrons pas plus de dix minutes. Ce qui, tu en conviendras, occasionnera un manque à gagner fort attristant et n'aidera pas à notre réputation. C'est bien la première fois que l'on se fera virer. Peu importent les raisons, cela fait toujours mauvaise impression.

— Mais ces dirigeants ne se réjouissent tout de même pas des fuites dans leur système.

— Bien sûr que non, dit Buddy. Ils en font des maladies depuis un bon mois. Ces problèmes ne réjouissent naturellement personne, mais ils font l'affaire de certains. Comme je te l'ai dit, ces fuites mettent Fenders dans une situation difficile au conseil et certains vont en profiter pour tenter de le renverser. Certains messieurs préféreraient que nous ne trouvions rien avant le changement de président. La meilleure façon serait naturellement de nous congédier. Comme cela s'avère impossible tant que Fenders est à la présidence, d'autres moyens seront peut-être envisagés.

— C'est-à-dire?

— On tentera peut-être de te soudoyer, mais j'ai rassuré Fenders sur ta probité. La Data Security ne bouffe qu'à un râtelier à la fois, pas vrai? Telle est la base de notre réputation. Des moyens physiques seront peut-être envisagés, mais les probabilités restent faibles. D'abord nous avons affaire à un conseil d'administration, non à un syndicat du crime. Ensuite, personne à la Transit ne songe à attirer l'attention des autorités. Mais comme Fenders n'est pas homme à prendre de risques, il a tenu à t'assurer une protection, à tout hasard.

— Je vois que ma première impression était la bonne. Je suis tombé dans un vrai panier de crabes.

Buddy eut un petit rire, suivi d'un claquement sec de la langue après avoir pris une solide gorgée de scotch.

— C'est ce qui fait le charme d'un boulot comme le nôtre. On ignore l'ennui sous toutes ses formes. Mais soyons sérieux, nous devons trouver cette fuite dans les meilleurs délais afin d'asseoir solidement Fenders à la présidence. Ensuite, nous nous attaquerons à cette taupe, si taupe il y a.

La situation commençait à s'éclaircir. Certains devaient s'imaginer qu'il était temps pour Fenders de passer la main et ils entendaient se servir de cette histoire de fuites pour lui enlever la présidence. Si ces gens prenaient le pouvoir, notre sort serait scellé. Identifiés à l'équipe dirigeante précédente, nous serions mis immédiatement à la porte. Tel est le triste destin de tout consultant en sécurité.

— C'est quand même la première fois que je vois Anthony se trimballer avec un revolver, dis-je. Qu'est-ce qu'il lui prend?

— Mets simplement ça sur le compte de sa conscience professionnelle. Tu connais Anthony, il a toujours pris son travail très au sérieux. Cela nous a d'aileurs évité de sérieux embêtements par le passé. Il a pris note de la dégradation des bonnes manières à laquelle nous assistons depuis quelque temps dans le milieu et il a pris ses responsabilités. Quand je lui ai dit d'assurer ta protection immédiatement, et ce sans explication, il s'est équipé en conséquence.

— Hum... l'époque devient de plus en plus difficile.

Buddy haussa les épaules.

— Inutile de s'inquiéter. De toute évidence, nous n'avons devant nous que des membres d'un conseil d'administration. Mais Fenders assure qu'on réagira sûrement lorsque nous nous approcherons d'un peu trop près du but. La meilleure manière d'éviter des désagréments, c'est d'être encore plus discret. Tiens ce Adams à distance, et rapporte-toi directement à moi.

— D'accord! As-tu parlé des délais à Fenders? Tu sais qu'il ne nous reste que sept jours.

— Nous avons jusqu'à samedi prochain seize heures. Sinon, nous sommes virés.

— Fenders engagera une autre firme?

— Celui qui signera notre dernier chèque sera probablement son successeur. Le prochain vote du conseil est pour samedi, seize heures. Fenders se doute qu'il se passera quelque chose de sérieux d'ici là. Peut-être une nouvelle fuite catastrophique ou la perte soudaine d'un gros client. En tout cas, de quoi mettre le conseil de mauvaise humeur, ou simplement l'amener devant des réalités déchirantes.

— Eh bien, nous avons sept jours. Au fait, as-tu reçu mon message envoyé par Joy?

— Oui, le tout est-il réglé?

— Ça ira pour le moment. Restes-tu à Montréal?

— Retour à New York dès ce soir. Nous avons de nombreux problèmes à la Save Bank, surtout depuis que j'ai retiré Peters et John de là-bas pour les affecter à cette affaire de la Transit. Les choses n'avancent pas et piétinent depuis trop longtemps. Mark est un excellent enquêteur principal mais la situation est peut-être trop complexe pour lui. C'est fou ce qui peut circuler sur ce réseau inter-banques.

Buddy tendit sa carte de crédit au serveur.

— Nous risquons beaucoup dans cette histoire,

dit-il. Nous y avons mis tous nos gros canons et quelques autres affaires s'en ressentent. S'il fallait essuyer un échec à Montréal et que les autres enquêtes piquent du nez, la situation ne serait pas très jolie.

— Tu sais bien que nous donnerons le maximum comme toujours.

Il signa le reçu présenté par le serveur sur plaque de verre.

— Je sais, dit-il en souriant. Quand vous en aurez terminé ici, je vous enverrai prendre des vacances amplement méritées au chaud soleil de New York. Si tu veux, tu pourras même emmener les secrétaires de la Save Bank se baigner dans l'Hudson.

Il eut l'air soudainement très sérieux.

— Les amis te contacteront cet après-midi à ton bureau. Ne pars pas en panique mais il est quand même inutile de prendre des risques. Laisse-toi chaperonner gentiment, d'accord?

— Pas de problème.

De retour dans mon bureau, je me mis à réfléchir sérieusement. Je tenais bien sûr à honorer mon contrat et à battre tout compétiteur, pour le plus grand profit de mon client, mais je devais aussi veiller soigneusement à mes intérêts. Personne n'y veillerait à ma place et encore moins Buddy.

La croyance populaire véhiculée par de nombreux films de gangsters et d'espions selon laquelle moins on en sait, mieux c'est, est tout à fait erronée. Il faut avoir oeuvré dans le domaine de l'espionnage industriel pour comprendre combien l'information n'a pas de prix. On n'en sait jamais trop comme on n'est jamais trop riche.

Le vrai danger est d'être manipulé à cause d'une mauvaise connaissance des événements et d'être soudainement obligé de prendre des décisions à partir de renseignements erronnés ou incomplets. Il était temps pour moi d'avoir sur la Monnaies Transit une vue plus complète que celle fournie par Buddy.

Comme il apparaissait que la lutte engagée se déroulait entre factions du conseil d'administration, il devenait primordial de connaître l'identité des membres du conseil qui se retrouvaient dans le camp opposé à Fenders et surtout celle des puissants actionnaires que ceux-ci représentaient.

Nul doute que Buddy ne s'était aventuré aussi loin dans cette affaire sans s'être d'abord assuré de l'identité réelle de ceux avec qui il aurait à traiter. Le seul qui pouvait l'avoir renseigné efficacement sur cet aspect de la Transit restait Taylor, le recherchiste principal à la Data.

Il était tout à fait improbable que Taylor me renseigne de lui-même sur le sujet, Buddy devait l'avoir prévenu. Mais il devait exister un moyen pour mettre la main sur ce rapport. Je commençai par appeler Taylor.

Je le rejoignis à son domicile où, comme tous les samedis, il devait s'occuper à soigner ses fleurs dans sa serre tropicale. Il faisait une chaleur étouffante en Californie, mais le type de fleurs qu'affectionnait Taylor en demandait encore plus.

Quelqu'un à la Data avait déjà comparé Taylor à une huître à lunettes. Il voyait tout, lisait tout, mais ne disait rien. Ses rapports étaient extraordinairement concis, comme s'il lui déplaisait vraiment de donner de l'information. Ils tenaient rarement plus que sur quelques pages mais ces lignes valaient toujours leur pesant d'or.

Je pris le ton excédé de celui qui ne cesse de perdre un temps précieux à cause de multiples broutilles.

— Bien sûr, répondit Taylor, j'ai effectué toutes les recherches sur les actionnaires de la Transit.

Il paraissait agacé, comme si je m'étais permis de mettre en doute ses capacités d'effectuer son travail de recherchiste principal. Michael Taylor prenait facilement la mouche quand il s'agissait de ses capacités professionnelles.

— Et comment se fait-il que je n'ai pas encore reçu le résultat de tes brillantes recherches, Michael?

Taylor parut interloqué, puis répondit d'une voix crispée, signe avant-coureur d'une colère.

— Les directives de Buddy étaient très claires, ces informations n'étaient destinées qu'à lui seul.

— Ça, dis-je d'un ton exaspéré, c'était avant que l'on ait tous ces problèmes par ici. Tout me tombe dessus, je ne peux plus bouger et je cours après Buddy depuis deux jours. Nous nous étions entendus que j'aurais droit à ces informations si la situation se compliquait, et elle se complique rudement. Il ne t'a donc rien dit?

Il y eut un long soupir au bout du fil.

— Je ne suis pas informé de la situation qui prévaut à la Transit. Tout ce que je sais, c'est que tout le monde court après Buddy et que Joy n'arrête pas de se plaindre.

— Comment as-tu pu lui communiquer ce rapport?

— Joy le lui a envoyé par réseau.

— Et Buddy ne t'a rien dit à mon sujet?

— Désolé, il a seulement dit que le dossier lui était strictement réservé.

— C'est une entente que nous avions eue dès le début avec le client, mais les événements se sont précipités, et les instructions de Buddy devraient normalement être modifiées.

— Je n'en ai pas entendu parler, dit simplement Taylor.

J'eus comme une inspiration subite.

— Peut-être a-t-il simplement donné de nouvelles directives à Joy?

— Possible.

— Si c'est le cas, a-t-elle encore ce rapport?

— Elle m'a remis l'original après l'avoir transmis par réseau.

La situation se compliquait. Au ton de la voix de Taylor, il était évident que celui-ci préférerait avaler ses lunettes plutôt que de me donner une copie de ce rapport.

— Donne-moi simplement une impression d'ensemble, Michael. Cette histoire d'actionnaires est-elle aussi tordue qu'elle en a l'air?

— Pas de commentaires, répondit laconiquement celui-ci.

Je raccrochai en gardant mon calme mais ce grand escogriffe à lunettes avait vraiment le don d'exaspérer tout le monde.

J'appelai Joy en espérant qu'elle n'aie pas déserté les bureaux. Elle ne répondit qu'à la cinquième sonnerie du téléphone.

— Bonjour, Alain, tu me prends sur mon départ. Que puis-je faire pour toi?

Joy était trop chic fille pour qu'on lui raconte des histoires. Je jouai d'autorité.

— Bonjour, Joy; possèdes-tu encore une copie du rapport de Taylor que tu as envoyé à Buddy par réseau?

— Je n'avais que la copie originale sous forme de disquette impossible à copier comme toutes les disquettes confidentielles de Taylor.

— Bien, et qu'as-tu fait pour l'envoyer à Buddy?

— Est-ce qu'il y a eu des problèmes?

— Peut-être, c'est ce que j'essaie de trouver.

— J'ai pourtant suivi les procédures à la lettre, dit Joy soudainement troublée. Je l'ai envoyé par réseau à la boîte aux lettres de Buddy et je suis allé remettre la disquette à Taylor.

— Tu n'es absolument pas en cause. Sais-tu si ce

rapport est encore dans la boîte aux lettres?

— Il m'est impossible de vérifier. La boîte aux lettres est à deux verrous. Un code d'accès pour la transmission de messages et un autre pour la réception. Je ne puis qu'envoyer, mais il m'est interdit d'aller consulter les messages de Buddy. Tu le sais bien.

— Bien sûr. Donne-moi simplement le code d'accès de la transmission, cela suffira.

— Mais c'est que...je ne sais pas...

— Tu ne sais pas quoi, dis-je d'un ton patient.

— Que peux-tu faire avec ce code d'accès. Il te faut celui de la réception pour en tirer quelque chose.

— Ne t'inquiète pas, cela suffira pour ce que j'ai envie de vérifier.

— Le code est ATLAS88. Nos compétiteurs auraient-ils forcé la boîte aux lettres de Buddy?

— Non, non, je veux simplement vérifier quelque chose. Que fais-tu donc ce soir, Joy?

— Éric et moi allons danser au nouveau bar-discothèque sur la plage, le *Rookie's Rock*. Tu connais?

— J'en ai entendu parler. Ce garçon ne te laisse pas tomber? Il a encore envie de t'épouser?

— Il ferait mieux de ne pas changer d'avis, dit-elle d'une voix gentiment butée.

— Si cela se produit, compte sur nous pour le raisonner.

— En attendant, dit Joy d'une voix faussement excédée, tout le monde s'est passé le mot. Tu sais ce que Peters m'a fait hier? Il est venu déposer une boîte pleine de micros d'écoute sur mon bureau. Il m'a expliqué qu'il était temps de passer le test de vérité à Éric, et qu'il allait en truffer son appartement. Il y est ensuite allé de son petit topo comme quoi la confiance réciproque c'était très joli, mais qu'en ces temps troublés, on n'était jamais trop prudents et qu'on ne pouvait que se rabattre sur la froide vérité de la technologie.

— Il ne pensait sûrement qu'à bien faire, Joy.

— Peut-être, mais ça ne m'empêchera pas de bien danser ce soir. Bonne soirée, Alain.

— Bonne soirée, Joy.

Le code de transmission me suffisait amplement. Je n'avais qu'à forcer la boîte aux lettres en espérant que Buddy y ait laissé le rapport. Mais les chances qu'il y soit encore étaient très bonnes. Buddy ne se promenait sûrement pas avec de telles informations sur lui et il devait être en mesure de pouvoir les consulter à tout moment.

Forcer la banque de données d'un ordinateur comme celui du réseau US-SERVE n'était pas trop difficile. Comme toute banque de données offerte en service au public, la sécurité ne pouvait être aussi serrée que dans le cas d'une société privée comme la Monnaies Transit. D'ailleurs, des centaines d'adolescents s'amusaient à briser l'entrée de nombreuses banques de données nord-américaines.

Comme je n'avais pas le temps de passer de longues heures à chercher les codes d'accès, je pris un moyen expéditif. Comme beaucoup d'autres compagnies informatiques à service public, la Atlantis Communications corp., qui gérait le réseau US-SERVE, avait établi une ligne de communication directe entre son ordinateur et la compagnie qui lui avait vendu cet ordinateur. Ceci afin d'assurer un service d'entretien et de réparations immédiates en cas de panne.

Tout cela, ainsi que le type d'ordinateur utilisé par la compgnie, était écrit dans les dépliants publicitaires de la Atlantis Communications afin de convaincre les clients éventuels de la fiabilité de leur système de communication. L'ordinateur utilisé était un NOVA acheté à la Data General. Le numéro du service informatique de la Atlantis était inscrit dans la section «Services à la clientèle». Je gardais ce numéro dans mon carnet, pour le cas où...

Je commençai par me brancher sur le réseau à partir de mon micro-ordinateur. Puis j'entrai dans le module PROGRAMMATION réservé aux usagers désireux de s'amuser à programmer sur un NOVA. J'écrivis rapidement un petit programme de lectures massives sur les canaux de télécommunication de l'ordinateur, entrai dans la section donnant la priorité aux programmes afin d'accorder la priorité maximale au programme saboteur et lançai le programme dans l'ordinateur.

Il me fallait maintenant téléphoner au responsable des services d'entretien à la Data General, le fabricant du NOVA. Je feuilletai rapidement mon carnet. Oui, c'était Ted Harper. Il était assez rare qu'un personnage aussi important se dérange pour communiquer avec un chef opérateur. Je composai le numéro des services à la clientèle de la Atlantis Communications.

— Bonjour, ici Ted Harper, responsable du service d'entretien de la Data General. Veuillez me passer le chef opérateur de la salle d'ordinateurs, s'il vous plaît. Quel est son nom déjà?

— John Ellis, monsieur. Mais je crois que monsieur Ellis est occupé.

— Annoncez-moi s'il vous plaît, et dites-lui que je l'appelle au sujet du problème qu'il a présentement.

John Ellis devait avoir de sérieux problèmes avec son ordinateur car il vint immédiatement en ligne.

— Monsieur Harper?

— Oui, monsieur Ellis. Je vous appelle moi-même car nous avons fait une petite erreur lors des inspections de routine et nous voudrions réparer cela au plus vite. Que se passe-t-il exactement chez vous?

— Tout fonctionne au ralenti. Il semble y avoir un programme qui bouffe toute la machine et il est impossible de le faire sauter.

— C'est un programme d'inspection des canaux de

communication à très haute priorité que nous testions sur votre ordinateur et il semble qu'il y ait un pépin. Nous allons vous arranger ça tout de suite. Entrez votre mot de passe et suivez mes instructions.

Je donnai une série d'instructions classiques destinées à faire sauter un programme mais qui ne donnèrent aucun résultat.

La voix d'Ellis trahit son impatience.

— Ça ne fonctionne pas, ce fichu programme a une trop haute priorité.

— Hum... dis-je, essayons chacun de notre côté. Donnez-moi votre mot de passe et nous allons essayer une action combinée. Vous le changerez tout de suite après.

— Le code d'accès est MAYDAY00. Vous ne devriez jamais lancer des programmes d'inspection sans être certain des résultats. Le téléphone n'arrête pas de sonner de tous les coins d'Amérique.

— Je comprends, dis-je en entrant le mot de passe.

Ellis n'avait aucun scrupule à le donner. Comme tous les chefs opérateurs de la planète, il avait horreur des sonneries de téléphone des usagers mécontents.

— Essayez encore la série d'instructions précédentes, dis-je.

J'entendis Ellis pianoter rageusement sur son clavier pendant que j'opérais rapidement. Il ne me fallait que quelques minutes. Je n'avais besoin que de savoir où était emmagasinée la boîte aux lettres de Buddy sur les disques-mémoires. Le code d'accès de transmission donné par Joy me servant de point de repère, je trouvai facilement et pris note des positions.

— Vous arrivez à quelque chose? demanda Ellis.

— Oui, j'ai trouvé. Essayez maintenant ceci de votre côté.

Je donnai les instructions correctes.

— Ça a fonctionné, dit Ellis. Qu'avez-vous fait?

— J'ai changé certains paramètres, répondis-je évasivement. Je suis désolé de tous les problèmes que nous vous avons causés, monsieur Ellis, nous ferons plus attention la prochaine fois.

— Tout est maintenant rentré dans l'ordre, dit Ellis. Je vous remercie quand même pour la célérité de votre service, monsieur Harper. Je vous serais gré maintenant de vous débrancher de l'ordinateur afin que je puisse changer le mot de passe.

Je m'exécutai, et reposai le combiné sur son socle. Le plus dur était fait. Le principe de base de sécurité de toute banque de données est simple. Une banque de données est un programme permettant l'accès aux informations stockées sur les disques mémoires à celui qui dévoile les mots de passe nécessaires. Les informations demandées sont ensuite projetées sur l'écran par pages dénommées fenêtres.

Pour qu'un usager puisse consulter son information personnelle, en l'occurrence Buddy et sa boîte aux lettres, celui-ci doit donner au programme de la banque de données son code personnel. La seule autre façon d'y avoir accès est de dévoiler le code maître, permettant l'accès à toutes les informations. Ce code n'est réservé qu'aux responsables des services informatiques.

Ceci, c'était la théorie que professaient les fabricants d'ordinateur et comme toute réclame publicitaire, celle-ci relevait d'un voeu pieux. On pouvait, par ailleurs, court-circuiter la banque de données en fabriquant soi-même son petit programme afin d'aller lire l'information stockée sur les disques mémoires. Le principal problème c'est d'isoler la position exacte de l'information recherchée sur les disques mémoires. Mais muni d'un mot de passe de puissance intermédiaire, comme celui d'un chef-opérateur, c'était gagné d'avance.

Je me rebranchai sur le réseau pour revenir au module et m'attaquai à un petit programme de lecture sur disques mémoires. Je donnai les coordonnées de la position de la boîte aux lettres de Buddy et lançai le programme. Quelques minutes plus tard, les messages de la boîte aux lettres sortirent sur l'imprimante de mon micro-ordinateur.

VIII

Les capitaux chauds

L e rapport s'étalait sur quatre pages écrites selon le style télégraphique de Taylor. Celui-ci écrivait vite et bien. Ses idées étaient concises, son style, vif, dépouillé, son sujet, très bien maîtrisé. Son rapport était évidemment tempéré par le ton prudent qu'utilise tout recherchiste digne de ce nom afin d'imposer un air de respectabilité à ses inévitables extrapolations.

Taylor commençait d'abord par énumérer les sources consultées qui lui avaient permis de dresser un «profil satisfaisant» des opérations réelles de la Monnaies Transit. Il y avait, en premier lieu, les ragots propres aux journalistes d'affaires qui l'avaient mis sur la piste, ensuite les conseils discrets de certains avocats conseils et, pour finir, les confidences d'un bureau de fiscalité réputé pour sa largesse d'esprit.

Taylor divisait ensuite les opérations de la Monnaies Transit en trois volets: officielles, officieuses et carrément illégales. Une rapide revue des opérations officielles de la Monnaies Transit dans le domaine des transactions de change ne m'apprit rien de nouveau.

Par contre, les deux volets suivants apparaissaient beaucoup plus intéressants. Les opérations officieuses consistaient en investissements par prête-nom, comme me l'avaient laissé entendre Fenders et Harvey lors de notre première rencontre. Le fait semblait bien connu des milieux informés où la Transit semblait jouir d'une réputation enviable. Et Taylor citait à l'appui quelques cas qui avaient construit cette réputation.

Ainsi en était-il de cette histoire reliée au programme de canadianisation des ressources hydrocarbures, citée à maintes reprises avec malice par les principaux dirigeants des milieux pétroliers.

Ce programme, honni par les milieux pétroliers, et tout particulièrement ceux des États-Unis, prévoyait diverses modalités fiscales afin d'assurer la mainmise des intérêts canadiens sur les ressources hydrocarbures du pays, contrôlées, en majeure partie, par des intérêts américains.

La Monnaies Transit offrit immédiatement ses services. Quelques années plus tard, le gouvernement canadien fut particulièrement étonné d'apprendre qu'il avait versé de généreuses exemptions fiscales ainsi que d'énormes subventions à l'exploration, à des intérêts américains, par le biais de sociétés-écrans canadiennes.

Une autre affaire appréciée des connaisseurs, selon Taylor, concernait les immeubles torontois qui passèrent sous propriété d'intérêts d'Arabie Saoudite par l'intermédiaire d'une série de sociétés-écrans. Ceci au grand dam de la régie ontarienne des loyers et dans des conditions encore mal éclaircies. Les sommes engagées furent colossales et les profits le furent tout autant. Furieuses, les autorités provinciales ordonnèrent la fermeture de deux instituts financiers. Mais les profits avaient été encaissés depuis belle lurette et semblaient avoir pris la direction de l'Europe sous les bons soins de la Transit.

Les opérations illégales, troisième volet des activités de la Transit, concernaient le blanchissage de capitaux effectué, selon toute probabilité, au travers d'opérations de change. Taylor expliquait que ces activités n'étaient qu'hypothétiques mais semblaient confirmées par différentes sources. Cependant, enchaînait-il, ces présomptions étaient surtout basées sur l'identité du principal actionnaire de la Transit, la M.B.R. de Détroit.

Taylor énumérait ensuite une série de sociétés-écrans et les noms de certains actionnaires avec leurs pourcentages d'actions. La International M.B.R. Investments de Détroit possédait le plus gros bloc d'actions avec trente pour cent des parts et contrôlait trois voix au conseil. Fenders contrôlait quinze pour cent des parts et le fauteuil présidentiel. Il avait droit à deux voix au conseil. Trois investisseurs se partageaient le restant, soit la Beaubien corp. et la Montréal 2000 avec chacun vingt pour cent et deux voix, et enfin la Clark holdings avec quinze pour cent et une voix.

Taylor ne s'intéressait ensuite qu'à la M.B.R. de Détroit. Cette compagnie semblait être la tête dirigeante, et une nuée de sociétés d'investissements venaient s'y greffer. Une rapide enquête sur cette compagnie avait donné des résultats plus que mitigés. Elle faisait l'objet d'une enquête du département du Trésor américain où on la soupçonnait fort de traiter des «capitaux chauds» provenant de divers milieux.

Je jetai un rapide coup d'oeil sur la liste des clients de la Transit que m'avait fournie Harvey. La M.B.R. y figurait en première place avec cinq terminaux branchés sur le réseau de la compagnie. Les autres actionnaires étaient également mentionnés mais avec une présence limitée à un terminal chacun.

Voilà qui ouvrait de toutes nouvelles perspectives. Je terminai ma lecture du rapport. Suivait une étude plus approfondie de la réputation des autres actionnaires. Rien ne semblait les relier jusqu'à présent à des fraudes fiscales, si ce n'est leur participation, à titre d'actionnaires, aux opérations de la Transit.

Je décidai d'aller vérifier ces hypothèses de plus près. Bousculé par le temps, je m'étais surtout concentré sur les programmes de télécommunication et j'avais délaissé les programmes de traitement de données financières. Il était temps de réparer cet oubli.

Je commençai d'abord par les programmes de gestion de capital des clients, mais je ne trouvai rien qui méritait une attention particulière. Je repoussai le clavier et me servis un nouveau café. Où chercher? Il y avait dix-sept programmes financiers, qui totalisaient en moyenne sept cents lignes d'instructions chacun: une bonne semaine de travail, au terme de laquelle il n'était pas prouvé que je puisse y trouver des indices concluants.

Je décidai de m'attaquer aux procédures d'identification des entreprises bénéficiant des faveurs spéciales de la Transit. L'ordinateur devait être en mesure de reconnaître les entreprises jouissant d'un traitement de faveur. Je commençai donc par le programme concernant les caractéristiques des sociétés clientes. Chaque client était identifié par son nom. Suivait une liste de caractéristiques. Je pris note des différents paramètres possibles, puis revint aux programmes d'opération de change.

Je suivis les opérations de l'ordinateur pour chaque paramètre rencontré. Cela me demanda de nombreuses heures, et je tombai finalement sur celui qui m'intéressait, surtout parce que j'avais déballé la filière des paramètres selon leur ordre alphabétique.

Les sociétés dont le code «ZAP» apparaissait en première position dans leur liste de paramètres, jouissaient de certains privilèges enviables. Ce code était toujours suivi de certaines valeurs assez étonnantes tel le profit escompté du client avant même que les opérations de change n'aient été effectuées.

Je pouvais dès maintenant abandonner mes recherches et imaginer le scénario possible. Il était d'une étonnante simplicité.

La situation est toujours la même: un client possède

des capitaux aux origines douteuses et il veut qu'ils apparaissent légalement sur le marché. Il lui faut donc déclarer des profits imaginaires pour justifier l'apparition de ces sommes. Qu'il faille alors payer de l'impôt est certes désolant, mais on se console en songeant à la respectabilité nouvelle des capitaux en question.

Pour comprendre le fonctionnement de la Transit, il fallait s'imaginer les transactions de monnaies comme un énorme bain de capitaux qui changent constamment de nature et de propriétaires en un temps record. De plus, le taux de ces monnaies fluctue sans cesse.

Qui s'apercevra alors qu'un investissement initial de dix millions de dollars, changés successivement en deutch marks, francs suisses, livres anglaises, pesos mexicains, francs français et lires italiennes, soit transformé, en bout de ligne, en douze millions de dollars? Voilà pour le code ZAP.

Le code ZIP permettait, lui, des pertes fictives par l'intermédiaire des mêmes opérations de change de monnaies. De quoi renverser la vapeur et passer certains capitaux au noir afin d'échapper une fois pour toutes à la voracité des services de l'impôt.

Le système était conçu pour être efficace. Les clients étaient tous reliés à l'ordinateur de la Transit par un réseau de télécommunication. L'information pertinente ne circulait que sous forme électronique, qu'il était par la suite facile d'effacer ou de modifier. Aucune note manuscrite pour témoigner des transactions, aucun coup de téléphone, aucun courrier compromettant, aucune manipulation de dossiers explosifs par le personnel de la Transit: l'ordinateur s'occupait de tout!

Il était temps de réfléchir à tout cela.

Les sociétés spécialisées dans les investissements par prête-noms étaient nombreuses et elles jouissaient d'une certaine faveur auprès des milieux financiers. Cela s'expliquait facilement étant donné que le gouvernement avait de plus en plus tendance à intervenir dans tous les domaines d'activité. Mais les gens d'affaires n'aiment pas qu'on scrute leur portefeuille.

L'évasion fiscale était une tout autre histoire, surtout pratiquée à l'échelle de la Transit. Quant aux activités de blanchissage, on ne pouvait jamais garantir l'origine de ces capitaux chauds. J'avais certes souvent travaillé au milieu de gens à la conscience très élastique, et j'y avais trouvé mon profit, sans parler de celui de Buddy, mais je devais admettre que je n'avais jamais vu de malversation financière aussi bien intégrée aux opérations de l'ordinateur qu'à la Monnaies Transit International.

Il n'était pas étonnant que Frank Castle et John Mayer aient pu quitter Safe General et fonder leur propre compagnie après un contrat comme celui-là. Monter le système de sécurité sur cet ordinateur avait dû leur rapporter une mine d'or.

J'avais accepté ce contrat et j'étais bien décidé de le mener à terme. Mais je n'irais pas au-delà. J'identifierais la fuite, puis je couperais toute relation avec cette compagnie. Par contre la rivalité entre les différents actionnaires bénéficiait d'un éclairage nouveau. Qui étaient ces gens qui faisaient face à Fenders? Et surtout, comment traitaient-ils leurs affaires?

Le téléphone sonna et le voyant lumineux de la ligne s'alluma crûment sur l'appareil. Je le fixai quelques secondes, puis je décrochai.

— Bonsoir, monsieur Bourque, Harry Fenders à l'appareil. Comment avancent vos recherches?

Fenders avait vraiment le sens de l'à-propos.

—Je commence à avoir une meilleure perception de la Monnaies Transit, monsieur.

— Et cette fuite?

— Je commence à y voir clair, monsieur, je...

Il me coupa durement.

— Écoutez, monsieur Bourque. Je me fiche de la

perception que vous pouvez avoir de notre société, je me fiche que vous foutiez notre ordinateur en l'air comme vous le faites depuis trois jours, je me fiche de ce que cela me coûtera, mais mettez la main sur la fuite. Vous avancez?

— Je ne fais que ça depuis une semaine, monsieur Fenders. Donc, selon vous, cette fuite existe vraiment?

— Je ne sais pas, dit Fenders d'un ton agacé. Mais à ce que je sache, vous devriez fonctionner comme si vous ne doutiez pas de son existence si vous voulez vraiment aboutir à des résultats.

Il avait beau me payer une petite fortune, il y avait tout de même des limites.

— Vous me prenez pour un imbécile, monsieur Fenders?

— Que voulez-vous dire? dit-il sèchement

— À quel jeu jouez-vous, monsieur Fenders? Je n'ai pas l'habitude de me faire manipuler comme un aveugle ni de me faire engueuler au téléphone.

— C'est pour ça que je vous paie, dit-il avec beaucoup de délicatesse.

— Je vous ferai remarquer que je suis un des meilleurs spécialistes en sécurité de la côte ouest et que je ne suis pas habitué à me faire traiter en demeuré, payé ou pas. Alors, vous déballez votre sac, oui ou non?

Il y eut un instant de silence au bout du fil.

— Il ne peut qu'y avoir une fuite à l'intérieur du système informatique, grogna Fenders. Cela expliquerait tout.

— Expliquerait quoi, monsieur Fenders?

Le voyant lumineux d'une seconde ligne clignota sur l'appareil.

— Il n'y a rien à expliquer, dit Fenders. Votre travail consiste à trouver cette fuite, un point c'est tout. Alors, entrez dans cet ordinateur, et allez gagner votre argent.

— Permettez que je vous coupe une seconde,

monsieur Fenders, on m'appelle sur une seconde ligne.

— Allez-y, dit-il.

Je mis Fenders en attente et pris la deuxième ligne.

— Bonsoir, Alain, m'auriez-vous oubliée?

C'était Annie Mail dont la voix tentait tant bien que mal de couvrir le brouhaha d'une salle surpeuplée.

— Désolé, Annie, le temps passe si vite. La soirée est-elle un succès?

— Tout à fait monstre, il ne manque que vous. N'arrêtez-vous donc jamais de travailler? Il est près de minuit.

— Je dois être devenu un être binaire, dis-je. Je n'arrête pas de travailler ou je n'arrête pas de me reposer.

— Ici les gens n'arrêtent pas de boire et de me donner des compliments sur mon exposition. Ça ne vous tente pas de venir y jeter un coup d'oeil?

— J'essaierai pour une fois de faire deux choses en même temps. Donnez-moi une heure ou deux. Votre soirée ne finit quand même pas avant l'aube?

— Aucun danger, dit-elle. Je vous attends.

Je repris la communication sur la première ligne.

— Monsieur Fenders? Désolé de vous avoir interrompu...

La ligne était morte, Fenders avait coupé la communication. Je raccrochai brutalement. Mais pour quel abruti est-ce que je travaillais?

J'étais d'une humeur massacrante et je décidai d'aller me changer les idées au plus vite à la soirée d'Annie.

Je commençai par faire le ménage de mon bureau. J'allai jeter tous les documents confidentiels, y compris le rapport de Taylor, dans la toilette, sur l'étage. Puis j'appelai l'équipe de protection qui m'attendait à l'extérieur.

— Ici Al, répondit une voix au fort accent new yorkais.

— Alain Bourque, dis-je, je descends dans deux minutes pour me rendre à une soirée.

Je donnai l'adresse.

— Y allez-vous en taxi ou à pied?

— À pied. D'ailleurs, je crois qu'il est inutile que vous y veniez, vous passeriez difficilement inaperçus.

J'entendis un rapide conciliable au bout du fil, puis Al revint en ligne.

— Combien y aura-t-il d'invités?

— Au maximum une dizaine, dis-je.

Je connaissais ce genre de professionnels. Ils me chaperonneraient dans n'importe quel endroit public et une soirée comptant plus de dix invités leur apparaîtrait aussi privée qu'un stade de baseball. Je ne tenais pas à les avoir sur mes talons.

— Alors, nous attendrons à la sortie, dit Al. Croyez-vous que ce sera long?

— Maximum une heure; ensuite je retourne à l'hôtel.

— Compris.

Je raccrochai et sortis. Je franchis les grandes portes de chêne et suivis la rue Saint-Jacques en direction de l'Est. Je vis aussitôt une puissante voiture grise démarrer et rouler au pas. Je m'arrêtai à un feu rouge et en profitai pour établir un contact visuel. Mes anges gardiens allumèrent le plafonnier afin de faciliter la reconnaissance. Celui assis sur la banquette de droite était large d'épaules, il avait un visage et des cheveux clairs. Le chauffeur était mince, le visage en furet et les lèvres dures. Voilà, c'était noté.

Je pris une rue transversale, puis descendis jusqu'à la rue Saint-Paul, dans le Vieux Montréal. Les passants se faisaient plus nombreux à mesure que j'approchais de ce secteur touristique. Je pris ensuite la minuscule rue Saint-François-Xavier et descendis en direction du fleuve. J'arrivai à l'atelier, sur une petite rue un peu avant les jetées; il était coincé entre des manufactures abandonnées et de vieux édifices en rénovation.

L'immeuble était ancien, construit en pierres et pourvu de larges fenêtres. L'endroit devait être très éclairé le jour et convenait parfaitement à un atelier. J'entrai dans un vestibule, montai quelques marches, solides malgré leur âge, et ouvris la porte donnant sur le premier étage. Il était inutile de frapper, le bruit et la musique qui emplissaient la cage d'escalier étaient suffisamment convaincants.

La pièce, dont le plancher était en ciment, était immense avec ses quatre colonnes montant jusqu'au plafond. Les haut-parleurs crachaient une musique d'opéra de fin de siècle et la soixantaine d'invités se massaient à l'autre bout de la salle. Deux voitures roses stationnaient entre les colonnes, le museau en direction de ce qui semblait être le bar. Je passai devant les voitures en les détaillant avec curiosité.

La première possédait une énorme paire de lèvres chromées qui servaient de pare-brise; les phares étaient maquillés et une chevelure de métal hirsute couvrait le toit de la voiture. La seconde avait les ailes avant gonflées de façon monstrueuse comme s'il s'agissait d'épaules très larges. Le capot s'avançait vers le haut et se terminait par un pare-brise rétréci faisant apparaître un nez buté surmonté d'yeux brillants au-dessus desquels d'énormes sourcils prenaient la place des pare-soleil.

Une troisième voiture rose stationnait de façon transversale au fond de la pièce. Une colossale paire de lunettes soleil occupait la place du pare-brise. Les verres latéraux servaient de vitres aux portières et les deux branches se repliaient vers l'intérieur pour se poser sur le dossier du siège avant.

Le capot servait de bar où Yves Adams officiait, muni de lunettes absolument du même modèle que celles de la voiture.

— Bonsoir, Alain, quelle bonne surprise.

Il avait l'air passablement éméché et avait une certaine propension à pencher sur le côté gauche.

— Te prépares-tu à mettre ton clignotant sur ta gauche, Yves?

Il eut un instant l'air étonné.

— Ah oui! cette fâcheuse habitude.

Il se redressa pour se remettre en équilibre mais il semblait toujours incliné sur sa gauche. Satisfait, il me gratifia d'un grand sourire.

— Alors, qu'est-ce que je te sers?

Je contemplai un moment l'amoncellement de bouteilles sur le capot. Je n'eus pas le temps de placer un mot: un grand blond se dégageant de la foule devant la voiture, me poussa du coude en s'excusant, et il passa sa commande.

— Prends le plus grand verre que tu puisses trouver, Yves, mets-y deux cubes de glace et verse le scotch sans aucune pudeur.

— Mais bien sûr, dit Yves, nous avons des verres spécialement pour l'occasion. Quelque chose, Alain?

— La moitié de la précédente commande.

Adams servit les consommations avec dextérité et je me retrouvai avec un verre de même dimension que celui de mon voisin.

— J'y ai mis un cube de glace supplémentaire, expliqua-t-il.

— Remarque, je ne me plains pas. Elles sont formidables, ces lunettes; tu les a prises dans le coffre à gants?

— Je devais me les offrir pour l'occasion, tu ne trouves pas?

— Les as-tu fait fabriquer sur mesure, ou serait-ce l'inverse?

— Annie avait besoin d'un modèle. Ce sont des lunettes que j'ai achetées à New York l'année dernière. Mais ne le dis à personne, je laisse entendre que c'est une commande spéciale pour l'occasion.

— Portes-tu des verres de contact?

— Voilà qui serait de fort mauvais goût. Ces lunettes possèdent des verres teintés et adaptés à ma vue. Voilà Annie, dit-il en agitant la main, je lui fais signe que tu es arrivé.

Annie apparut, toute vêtue de rose, et portant des lunettes du même modèle que celles d'Yves et de la voiture.

— Bonsoir, dit-elle, c'est chic d'être venu en habit-cravate. Tout le monde pensera que tu es journaliste.

— Surtout, ne les déçois pas, dit Yves, et prends un accent américain.

— Absolument superbes ces voitures, dis-je à Annie manifestement ravie du compliment. Mais comment faites-vous pour les monter jusqu'ici?

Elle prit un air supérieur.

— Allons, ce grand spécialiste de la sécurité et de l'infiltration serait bouché? On ne peut quand même pas les passer par les fenêtres.

— Vous avez planqué une porte quelque part?

— Et voilà, dit Annie en claquant des doigts. Mais où est-elle?

Je haussai les épaules.

— Peut-être un mur pivotant que l'on actionne en déplaçant une de ces colonnes de béton?

Elle eut un sourire éblouissant.

— Tu vois ces lourdes tentures de brocart rouge? dit-elle en pointant du doigt un coin obscur de la salle.

— Il y a une porte derrière?

Elle opina en souriant et les lunettes glissèrent sur son nez. Elle avait les yeux maquillés de façon étonnante, avec un dégradé de rose.

— La pièce où nous sommes était autrefois utilisée par un vieux débosseleur de voitures. J'ai simplement repris la tradition, mais en y ajoutant des critères esthétiques.

— Eh bien! c'est l'endroit rêvé.

Tel un ours dans les branchages, Jim jouait tranquillement des bras pour fendre la foule agglutinée devant le bar. Il vint dans notre direction.

— Voici donc notre expert, dit-il en souriant. Comment avance votre boulot?

— Ça va, ça progresse comme je le veux.

— Heureux de l'entendre. Désolé que vous n'ayez pu admirer la voiture à klaxons, nous avons dû la démembrer pour compléter celle à lunettes. Un rude travail, je vous assure. Mais je vois que votre verre est à moitié vide. Vous nous connaissez mal si vous vous imaginez que nous allons tolérer ce genre de choses. Nous allons vous le remplir immédiatement, n'est-ce pas Yves?

— Confirmé, répondit-il. Seulement, il n'y a plus de glaçons.

— Qui se soucie de cubes de glace, dit Jim en prenant d'autorité mon verre pour le mettre sous le bouteille de scotch, il y en a plein l'Arctique. Vous ai-déjà parlé de mon expédition à la mer de Baffin, monsieur Bourque?

— Hum... je crois que je m'en serais souvenu.

— Tous les murs de son igloo y sont passés pour remplir ses verres de scotch, dit Annie en lui prenant le bras. Tu ne voudrais pas donner un coup de main au bar, je crois qu'Yves ne peut plus fournir à la demande.

— Avec plaisir, dit Jim. Je vous raconterai cela une autre fois, monsieur Bourque. Je suis certain que vous apprécierez l'épisode de la chasse au phoque.

Adams vint me rejoindre. J'en profitai pour lui demander la raison pour laquelle on n'entendait que de la musique d'opéra.

— Aucune idée, dit-il, les goûts du disc-jockey, je suppose. Mais personne ne sait qui c'est.

Nous sommes revenus vers Annie qui discutait au milieu d'un petit groupe. J'en profitai pour me mettre au courant des dernières nouvelles en matière de culture. On parlait de quelqu'un qui gaspillait terriblement son esprit créateur. Il travaillait trop. Quelqu'un disait qu'au contraire il ne travaillait pas suffisamment et qu'il ne faisait qu'imiter quelqu'un qui s'était suicidé.

J'entendis ensuite citer de nombreux noms. Il m'apparut que les Allemands étaient ceux qui faisaient la meilleure impression. «Ils sont magnifiquement décadents», dit l'un. «Moins qu'à New York», argumenta une autre. Une jeune fille rousse affirma que cette voiture aux larges épaules faisait terriblement macho. «Pourtant elle est rose», souligna un jeune homme aux vêtement excentriques.

On me dévisagea un moment.

— Êtes-vous journaliste? me demanda un type à qui un toupet massif semblait servir de gyroscope.

— Exact, dis-je en mettant le plus d'effort possible dans l'articulation de ce simple mot.

— Toronto? me demanda-t-on en anglais.

— New York, dis-je en passant à l'anglais avec un soulagement visible. Du *New Design Tribune..*

La jeune fille rousse me regardait avec des yeux immenses. On me demanda quelle était la ligne la plus prometteuse actuellement à New York.

— Il n'y a plus de critères qui tiennent, dis-je.

— Cela doit être difficile pour les critiques, dit la petite rousse avec compassion.

— Encore plus difficile pour les créateurs, ils doivent maintenant créer à vue. Mais je vois qu'à Montréal, cela ne pose aucun problème, dis-je en jetant un regard appréciateur sur la voiture à lunettes.

Cela fit impression. Il y eut des regards brillants et quelques sourires forcés. Annie rayonnait devant les regards qui convergeaient vers elle. La jeune fille rousse me remit un carton d'invitation à une exposition universitaire à laquelle elle participait.

— Vous apprécierez, j'en suis certaine.

Je remerciai d'un signe de tête et la glissai soigneusement dans mon portefeuille. Puis je saluai tout le monde et allai me promener parmi la foule des invités.

Comme toujours, je fus pris pour quelqu'un d'autre, c'était d'ailleurs de cette façon que j'avais rencontré Chris. Je rassurai tout le monde sur mon état de santé et donnai des nouvelles de je ne me souviens plus trop qui. Un peu plus loin, on me prit à nouveau pour un critique d'art et on tenta sans succès de m'entraîner sur le terrain de l'art progressif. Je tins bon en orientant la conversation sur l'utilisation de l'ordinateur dans l'animation.

J'énonçai une série de termes techniques pour montrer que je maîtrisais bien ma matière puis enclenchai, sans crier gare, sur des descriptions précises de logiciels graphiques intégrés. Personne ne demanda son reste et je quittai le groupe en demandant où se trouvaient les toilettes. On m'indiqua l'endroit, à ma grande satisfaction.

Tout en me déplaçant, je finis mon verre à petites gorgées. J'éprouvai un soupçon de remords en songeant à Peters et à l'équipe qui devaient trimer dur sur ces programmes de télécommunication. Mais songeant aux jours terriblement difficiles qui m'attendaient sans doute à la Transit, je décidai d'aller faire le plein au bar.

Je tombai sur Lucie Riopelle, en contemplation devant la voiture-macho. Elle portait un ensemble rouge vif, dont la coupe, discrète, semblait compenser pour l'éclat de la couleur. Un seul coup de brosse avait suffi à changer sa coiffure, d'ordinaire austère au travail, pour une coupe qui avantageait davantage sa beauté.

— Il vous plaît?

— Les hommes qui roulent les mécaniques ne m'ont jamais tellement plu, répondit-elle avec un léger sourire. Mais peut-être a-t-il un excellent caractère?

— Possible, dis-je en m'appuyant sur la colonne, mais je ne me risquerais pas à lui donner des coups de pied dans les roues.

— Vous m'avez toujours paru un homme prudent, monsieur Bourque. Par exemple, on vous voit toujours rôder la nuit dans les bureaux mais personne ne sait exactement ce que vous y fabriquez.

— Je confesse simplement votre ordinateur, dis-je. Tout le monde sait que cela ne peut se faire que dans le calme et une certaine intimité.

— A-t-il beaucoup à se reprocher?

— Il a fait la vie, dis-je en haussant les épaules.

Elle sourit et laissa promener un moment ses doigts sur une aile surélevée de la voiture. Elle pointa dans ma direction un verre d'eau gazeuse dans lequel deux glaçons s'éteignaient doucement.

— J'ai entendu dire que vous meniez une carrière parallèle en tant que journaliste et critique.

— Ces rumeurs sont tout à fait exactes. Me permetteriez-vous de vous interviewer?

— À l'un de ces dîners où vous m'invitez sans discontinuer depuis une semaine?

— Voilà qui serait l'idéal, qu'en pensez-vous?

— Raccompagnez-moi plutôt à la station de taxi. Il est déjà deux heures du matin. À moins que vous ne vouliez poursuivre cette soirée?

— Vous me voyez justement sur mon départ; accordez-moi deux secondes pour reféliciter Annie et je vous raccompagne.

Je trouvai Annie près de la voiture à lunettes et ronronnant sous les compliments de nouveaux admirateurs. Je lui glissai quelques mots à l'oreille et elle m'entraîna dans un coin en me tenant le bras.

— Merci et félicitations pour votre performance, ce fut très réussi. Le ton blasé juste comme il faut. J'espère m'être fait un tas d'ennemis jaloux ce soir, voilà qui serait la consécration.

— J'espère avoir été à la hauteur, mais je dois retourner à mon hôtel. Pas question pour moi de faire la grasse matinée demain matin. Tu diras bonsoir à Yves de ma part.

— Bien sûr, dit-elle en me donnant un baiser sur la joue. Fais de beaux rêves.

Je raccompagnai Lucie Riopelle à la station Place d'Armes. Les pavés résonnaient sèchement sous ses talons. Nous dûmes contourner de nombreuses flaques d'eau que les réverbères faisaient briller à notre approche. Il avait plu durant la journée.

Elle brisa le silence la première.

— Êtes-vous demeuré longtemps aux États-Unis?

— Neuf ans. Deux pour les études supérieures et les autres à travailler. Je reviens faire un tour à Montréal quand je suis dans les environs de New York, histoire de revoir ma famille. Et de votre côté, avez-vous toujours habité Montréal?

— Je viens d'un petit village gaspésien, mais j'habite ici depuis le début de mes études en économie.

Nous avons pris le chemin de la jetée. Des silos à grains semblaient monter la garde à côté de longs bateaux au repos. On entendait un bruit de ferraille résonner au loin.

— Préférez-vous habiter là-bas? demanda-t-elle.

— Ce n'est pas une préférence. Seulement, là-bas, les affaires et les défis sont d'une toute autre dimension. Ce doit être aussi l'endroit où l'on trouve le plus de fraudeurs au mètre carré. Pirater les ordinateurs est devenu un sport national dans ce coin d'Amérique. Êtes-vous mariée?

Elle sourit devant la précision de la question.

— J'ai travaillé dur, dit-elle d'une voix un peu triste, afin d'obtenir un poste de responsabilités comme celui que j'occupe à la Monnaies Transit. Je n'ai malheureusement pas rencontré beaucoup d'hommes intéressés à de vrais concessions dans ce domaine. Ils sont tous d'accord, mais les gestes concrets ne suivent pas.

Elle soupira doucement.

— Le seul homme que j'ai connu n'a pas tenu deux ans.

— Des enfants?

— Il n'aurait pas eu le temps de s'en occuper, répondit-elle en souriant.

J'appréciai la réponse d'un hochement de tête.

— Peut-être me suis-je montrée trop exigeante, c'est possible.

Nous avons délaissé le chemin longeant le port pour remonter vers la ville en direction de la Place d'Armes. Nous sommes passés devant de petits restaurants d'où sortaient les derniers clients. Certains avançaient d'un pas chaloupé et nous dûmes faire des prouesses pour les éviter.

— Êtes-vous marié? finit-elle par demander.

— Je l'ai été durant trois ans, puis quelque chose a dérapé. Je suppose que c'est un lieu commun pour beaucoup de gens.

— Peut-être, dit-elle. Des enfants?

— Elle n'avait pas le temps de s'en occuper, répondis-je avec malice.

Elle sourit. Puis, doucement, elle se mit à rire.

— Vous êtes un drôle de type.

— Je le prends comme un compliment.

Nous étions arrivés. Deux taxis étaient en attente et je m'apprêtai à lui ouvrir la portière du premier.

— Me permettez-vous de vous interviewer demain soir?

— Nous verrons. Je vous remercie de m'avoir accompagnée, ce fut très agréable.

Je refermai la portière et le taxi démarra. La seconde voiture se présenta à ma hauteur. J'ouvris la portière, l'oeil toujours fixé sur le taxi qui s'éloignait et m'apprêtai à monter. J'aperçus alors une ombre dans le coin arrière de la banquette.

— Excusez-moi, dis-je étonné de voir un client déjà installé à l'arrière.

— Je vous en prie, monsieur Bourque, montez donc. Je serais ravi de vous reconduire à votre hôtel.

Je refermai sèchement la portière et reculai d'un pas. Mais déjà un homme apparaissait derrière moi et un autre sortait d'une porte cochère.

— Il ne s'agit que de vous épargner quelques dollars, dit l'homme dans mon dos.

Le deuxième se plaça à ma droite. Aucun ne paraissait menaçant, ils semblaient tout simplement empressés. On ouvrit la portière afin que je monte. J'attendis quelques secondes, puis me décidai. La portière se referma doucement derrière moi et je remarquai avec soulagement qu'aucun des deux types ne prenait place dans le taxi qui démarra immédiatement.

— J'approuve le choix de votre hôtel, dit l'homme assis à mes côtés. Excellent établissement, et situé à quelques minutes à peine de votre lieu de travail.

Il sourit aimablement. Il devait avoir une cinquantaine d'années, était vêtu élégamment, et sa chevelure, plutôt longue, lui donnait un petit air universitaire. Des lunettes rondes, montées sur écaille grise, adoucissaient son regard. Ses mains, posées à plats sur ses genoux, semblaient étrangement fortes pour un homme de cette taille: tout à fait le genre à frapper très fort, tout en gardant son sang-froid.

— Venons-en au fait, voulez-vous.

— Je comprends, dit mon interlocuteur, votre temps

est précieux. Cette enquête piétine, n'est-ce pas?

Je jugeai inutile de répondre. L'expérience m'avait appris que moins on discute, plus rapide est le dénouement d'expérience désagréable comme celle-ci. Je cherchai des yeux la carte d'identité du chauffeur mais l'endroit prévu à cet effet était vide. Était-ce un vrai chauffeur de taxi? J'en doutais, mais la voiture semblait se diriger vers mon hôtel, quoique à vitesse réduite.

— Ceci est notre première rencontre, continua mon interlocuteur. Je ne vous en souhaite pas une deuxième, aussi permettez-moi quand même de me présenter. Vous pouvez m'appeler Langley, c'est ainsi que je suis connu.

Il me tendit la main.

«Enchanté», dis-je en me calant au fond de la banquette, et en me pressant vers la portière. Je ne tenais pas à toucher à ce type, c'était physique. Je remarquai que la portière était verrouillée mais personne ne bougea pour m'empêcher de l'ouvrir. Le chauffeur regardait devant lui et Langley souriait aimablement après avoir reposé ses mains sur ses genoux.

— Vous ne songez tout de même pas à vous jeter en bas de cette voiture en marche, monsieur Bourque, vous pourriez sérieusement vous blesser.

Je pris un air étonné.

— Me jeter d'une voiture en marche? Pour qui me prenez-vous?

— Pour quelqu'un de raisonnable qui va accepter ma proposition. Vous touchez vingt-cinq mille dollars US payables immédiatement et vous laissez cet ordinateur tranquille. Qu'en pensez-vous?

— Veuillez vous presser pour arriver à mon hôtel, dis-je au chauffeur.

Celui-ci ne daigna pas répondre, mais obliqua simplement vers l'ouest pour filer sur la rue Saint-Antoine à une vitesse plus rapide.

— Votre chauffeur ne connaît pas très bien la ville,

dis-je.

— Mais si, dit Langley, nous n'engageons que des professionnels. Alors, désirez-vous discuter?

— Je discute toujours avec des professionnels, dis-je en haussant les épaules, c'est excellent pour les contacts dans le métier.

— Excellente habitude, alors reprenons. Peut-être considérez-vous cette prime comme insuffisante?

Je ne répondis pas mais remarquai que le chauffeur avait pris une rue transversale remontant vers le nord.

— On nous a expliqué que vous obtiendriez une très forte prime dans l'éventualité où votre enquête réussissait. Nous ne vous offrirons pas autant. Cinquante mille dollars seraient encore considérés comme une bonne affaire. C'est notre dernier prix. Au-delà de cette somme, différents autres moyens deviennent beaucoup plus économiques. Vous me suivez?

— Qui représentez-vous, monsieur Langley?

— Voyons, répondit-il avec un soupir, nous sommes des professionnels. Pourquoi poser des questions stupides qui nous font perdre notre temps? Notre proposition se résume à deux choix. Premier choix: vous empochez les cinquante mille dollars immédiatement, vous finissez votre contrat normalement mais sans rien trouver, ce qui ne vous empêche pas de récolter vos mille dollars par jour jusqu'à la fin de la semaine. Vous vous envolez ensuite pour la Californie afin de profiter de votre condominium avec cette vue magnifique sur la mer — j'ai vu des photos qui m'ont impressionné —, et vous jouissez de votre santé.

— Comment pouvez-vous savoir que mon contrat doit se terminer dans une semaine, je n'en suis même pas informé. Serait-ce relié à l'élection de Fenders?

Il ne répondit pas et le chauffeur vira brutalement vers l'ouest, dans la direction tout à fait opposée à l'hôtel. La voiture roulait rapidement sur une rue déserte.

— Des choses bien désagréables vous attendent à l'ouest, monsieur Bourque. Désirez-vous vraiment que je vous explique les conséquences de votre deuxième choix?

— Inutile, dis-je.

Le silence se fit dans la voiture. Nous roulions toujours vers l'ouest. L'automobile s'arrêta enfin à un feu rouge qui parut interminable, puis le chauffeur prit la direction nord à vitesse réduite. Langley me détaillait avec attention tout en attendant ma réponse.

Je ne savais pas pour qui travaillait Langley. Mais ce type commençait à me faire peur. Sa politesse, et même ses sourires m'apparaissaient aussi coupants que des lames de rasoir. Je n'avais jamais été confronté à ce genre de situation auparavant. Ce numéro du chauffeur qui se dirigeait brutalement vers l'ouest quand mes réponses n'étaient pas satisfaisantes avait aussi quelque chose d'impressionnant. Une touche artistique dans un numéro d'intimidation.

Il me fallait raisonner. Si ce type représentait certains actionnaires, j'étais en sécurité. Personne ne me toucherait aussi longtemps que je serais à l'emploi de leur compagnie. Mais peut-être travaillait-il pour quelqu'un d'autre, un compétiteur par exemple. Qui pouvait-il être?

Et où étaient passés mes anges gardiens? Ils devaient avoir été semés ou peut-être retenus par les deux hommes qui m'attendaient à la voiture. Nous roulions au pas, comme si le chauffeur attendait le dénouement. Je regardai un moment le décor défiler par la fenêtre. Puis je pris ma décision. Dans ce genre de scénario, on donnait toujours plus d'un avertissement.

— Je refuse, dis-je.

Curieusement, Langley s'adoucit. Il fouilla dans ses poches, sortit un paquet de cigarettes et m'en offrit une. Il fit rapidement scintiller la flamme d'un briquet en or et m'alluma.

— C'est votre droit, bien sûr.

Il chassa la fumée d'un geste lent et appuya son coude sur le haut de la portière.

«Reconduisez-nous à l'hôtel», dit-il au chauffeur. Puis se tournant vers moi:

— Peut-être êtes-vous habitué à des compétiteurs plus civilisés, monsieur Bourque. Vous savez, ces gens qui se contentent d'essayer de vous soudoyer, de vous faire chanter avec des photos compromettantes, qui saccagent vos chambres d'hôtel, ou encore qui menacent de vous briser les jambes. Je puis vous assurer que ce n'est pas le cas présentement.

Il déposa minutieusement la cendre de sa cigarette dans le cendrier de sa portière en la faisant tomber par petits coups.

— Nous sommes de gens sérieux et il faut, par conséquent, nous prendre très au sérieux. Je ne crois pas que vous ayez l'habitude de ce petit jeu, monsieur Bourque. Alors, laissez-moi vous en expliquer les règles. Nous donnons d'abord un premier avertissement, assorti d'une offre raisonnable afin de satisfaire les deux parties. Je vous fais remarquer qu'il vous reste encore jusqu'à l'hôtel pour vous décider. Après, il sera trop tard. Vous serez alors sujet à un deuxième avertissement. Celui-ci n'est agrémenté d'aucune compensation financière. Il y a les frais, vous comprenez.

Je regardais Langley sans rien dire, m'efforçant simplement de rester calme. Je réfléchirais après.

— Si vous avez un tant soit peu de bon sens, continua-t-il, vous faites vos bagages et partez. C'est notre dernier avertissement. Ce qui suit est définitif.

Il cessa soudainement de s'intéresser à moi et se mit à contempler le paysage par la fenêtre. Nous avons fait le chemin de retour en silence, puis l'hôtel apparut dans les lueurs blafardes de l'aube. La voiture s'engagea dans l'avenue piétonnière de l'hôtel et s'arrêta à l'entrée. Un portier galonné vint ouvrir la portière. Le chauffeur gardait les mains fixées sur le volant, la tête tournée vers l'avant et Langley me fixait sans rien dire. Je ne lui jetai aucun regard et sortis.

Avant que le portier n'ait eu le temps de refermer la portière, je contournais déjà la voiture afin de pouvoir reconnaître le chauffeur. Celui-ci ne me prêta aucune attention. Je pris note du numéro sur l'enseigne lumineuse du taxi et revins à l'arrière pour noter également le numéro d'immatriculation de la voiture dans un calepin. Puis je montai les dernières marches de l'hôtel.

— Monsieur Bourque!

Je me retournai pour voir Langley penché à la vitre arrière.

— Votre deuxième avertissement vous sera notifié beaucoup plus tôt que vous ne le croyez. Si vous persistez, vous serez sujet au troisième avertissement qui tombera sans crier gare, n'importe où, n'importe quand, mais très rapidement. Bonne nuit.

J'entrai à l'hôtel et me dirigeai vers la réception. Le préposé devait être sur la fin de sa nuit de travail et il paraissait fatigué, mais il me reçut quand même avec le sourire de circonstance.

— Vous semblez apprécier la vie nocturne à Montréal, monsieur Bourque. Désirez-vous votre clé?

— Oui merci. Veuillez appeler la chambre d'Anthony Atkins, je vous prie.

— À cette heure, monsieur?

J'opinai brièvement de la tête. Le préposé composa le numéro, se présenta et me tendit le combiné. Anthony grogna d'une voix endormie.

— Où étais-tu passé?

— On m'a emmené en balade. Puis-je monter chez toi?

— Je t'attends, répondit-il d'une voix nettement plus éveillée. Dis au préposé de faire monter du café.

— D'accord.

Je commandai du café puis me dirigeai vers les ascenseurs. Je remarquai un homme assis sur un fauteuil dans un coin retiré du hall. Je revins vers le préposé qui passait déjà, au téléphone, ma commande.

— Cet individu est-il un client de l'hôtel?

Le préposé me regarda avec étonnement en déposant le combiné.

— Je ne crois pas, monsieur.

— Alors, que fait-il ici? demandai-je sèchement. Cet hôtel ressemble-t-il à un terminus d'autobus pour que les gens viennent s'y installer à cinq heures du matin? Depuis quand est-il là?

— Euh... je crois qu'il a passé la soirée au bar de l'hôtel, monsieur.

— Vous croyez? C'est ainsi que vous assurez la sécurité de vos clients? J'ai déjà été cambriolé plusieurs fois dans les hôtels et je ne veux pas revivre de telles expériences. Allez lui demander s'il est un client de votre établissement et sinon, fichez-le dehors.

Le préposé parut gêné, hésitant, puis enfin se décida.

— Je vais m'informer s'il est un client de l'hôtel, monsieur.

Pendant qu'il se dirigeait vers le hall, je composai le numéro de la chambre d'Anthony.

— Qu'y a-t-il? demanda celui-ci.

— L'équipe est-elle sur pied?

— Ils sont en train de se réveiller.

— Alors, dis-leur de m'attendre à la porte de l'ascenseur dans cinq minutes. Ils m'accompagneront jusqu'à ta chambre puis reviendront fouiller la mienne. Avertis-les qu'ils risquent d'y trouver des surprises.

— Je vois, dit simplement Anthony. Puis il raccrocha.

Je vis l'individu du hall discuter avec le préposé puis

se lever, glisser son journal dans sa poche et se diriger tranquillement vers les cabines téléphoniques. Le préposé revint à la réception.

— Ce monsieur effectue un appel, puis nous quitte. Désirez-vous autre chose?

Je ne pris pas la peine de répondre et saisit le téléphone de la réception. La ligne d'Anthony était occupée, de même que celle de mes anges gardiens. Je décidai d'attendre à la réception. L'inconnu sortit de la cabine et quitta l'hôtel sans se retourner. Je recomposai le numéro d'Anthony et puis celui de mes anges gardiens. Cette fois, il n'y eut aucune réponse.

— Puis-je vous aider, monsieur? demanda le préposé d'un air intrigué.

Je lui souris.

— Restez simplement ici, j'apprécie votre compagnie.

Je m'allumai une cigarette et attendis, debout. Quand je regardai de nouveau l'horloge murale, les cinq minutes d'attente étaient largement dépassées. Mais je décidai d'attendre qu'Anthony me fasse signe avant de bouger. Je ne savais trop ce qui se passait là-haut.

Quelque dix minutes plus tard, Al, un de mes deux anges gardiens, sortit de l'ascenseur et vint à ma rencontre. Il semblait s'être habillé à la hâte et n'était pas rasé.

— Permettez que je vous accompagne jusque là-haut, monsieur Bourque.

— Merci de votre compagnie, dis-je au préposé, et donnez-moi donc cette cafetière. Je la monterai moi-même.

Je pris le plateau et montai dans l'ascenseur. Al enfonça le bouton de l'étage et les portes se refermèrent doucement.

— S'est-il passé quelque chose, là-haut?

— Nous allions vous attendre à la porte de l'ascenseur quand deux types sont sortis de votre chambre, mine de rien. On a tenté de les intercepter mais ils se sont enfuis par les escaliers et sont sortis par la sortie de secours. Une voiture les attendait à l'extérieur. Monsieur Atkins vous attend chez lui pendant que Terry fouille votre chambre, question de s'assurer que les visiteurs n'ont rien laissé de désagréable derrière eux.

Anthony nous ouvrit et j'allai déposer le plateau sur la table de travail devant la fenêtre. Anthony m'offrit aussitôt un verre d'alcool, que j'acceptai avec gratitude.

— Une soirée bien remplie, dit-il.

— Jamais le temps de s'ennuyer dans ce métier.

J'avalai le liquide avec satisfaction tandis qu'Al soulevait un fauteuil pour le transporter près de la porte. Anthony resta debout et alluma une de ses cigarettes malodorantes. Il attendit patiemment que je commence. Je terminai d'abord mon verre puis lui racontai la soirée en détail, en débutant par la réception chez Annie. Il sembla tiquer à l'histoire du taxi de la Place d'Armes mais se retint de tout commentaire. Il ne m'interrompit que pour demander de nouveaux détails sur l'aspect physique de Langley et de ses acolytes. Quand j'eus terminé, il hocha longuement la tête d'un air concentré.

— Bien, finit-il par dire, nous allons essayer de trouver l'identité de ce Langley. Peut-être est-il connu quelque part. Nous allons aussi vérifier le numéro d'immatriculation de la voiture, on ne sait jamais. J'espère que tu vas prendre maintenant les mesures de protection au sérieux. C'est à croire que tu faisais exprès pour semer tes amis ce soir. Tu ne les as pas avertis avant ton départ et tu es sorti au milieu d'un groupe de joyeux fêtards. Ensuite, tu t'es arrangé pour prendre deux rues en sens inverse, ce qui a obligé tes amis à des détours inutiles. Pour finir, l'histoire du taxi s'est passée tellement rapidement qu'ils ont cru que tu avais pris la voiture avec la dame et ils l'ont suivie jusqu'à son appartement.

— Je sais, j'ai commis des erreurs ce soir.

— Hum... et qui était cette dame?

— L'assistante personnelle d'Harvey, le vice-président de la Transit.

Le deuxième garde du corps fit son entrée et donna son rapport. Tout était négatif du côté des recherches. Ces types n'avaient rien laissé et ils ne semblaient pas avoir fouillé l'appartement.

— Le deuxième avertissement est venu drôlement vite, dit Anthony. Ils ne t'ont pas laissé le temps de souffler à ce que je vois.

— Peut-être est-ce simplement destiné à me mettre sur les nerfs et à m'empêcher de travailler correctement. Mais je dois admettre que ce Langley m'a fait toute une impression. J'ai bien l'intention de terminer ce contrat mais je tiens à être entouré par tes gars. J'en veux un dans ma chambre cette nuit et je m'attends à ce qu'ils ne me quittent plus d'une semelle.

— Al te bordera ce soir, mais revenons à cette petite. Cette histoire de taxi est étonnante. Qui a choisi cette station?

— Lucie Riopelle, mais c'était la plus proche.

— Hum...peut-être t'a-t-on entendu pendant que tu discutais avec elle, c'est possible. Tu n'aurais eu conscience d'aucun taxi qui aurait pu vous suivre durant votre promenade, ne fût-ce qu'un petit moment?

J'essayai de me souvenir.

— Difficile, je m'occupais plutôt de la dame.

— Évidemment, dit Anthony avec un soupir. Mais pour plus de sûreté, laisse-la tranquille pour la durée du contrat, hein?

— De toute façon, la semaine suivante sera plutôt chargée. Bon, je te laisse prévenir Buddy des derniers développements. Demain matin, petit déjeuner à dix heures, d'accord?

IX

Le syndrome du flipper

L es couloirs de la Monnaies Transit étaient sombres et désertés en cette fin de matinée dominicale. Les portes fermées semblaient former une ligne de sentinelles silencieuses que je devais passer en revue.

Je m'arrêtai à la porte de mon bureau et insérai la carte magnétique. Il y eut un léger déclic amplifié par le silence environnant et la porte s'ouvrit sans bruit. Je déposai mon attaché-case au pied du bureau et allai ouvrir les rideaux.

Il faisait une journée magnifique et je laissai un moment le soleil me caresser le visage. Mes pensées se tournèrent encore une fois vers Langley. Ce type était peut-être très fort mais il avait commis deux erreurs de taille. Peu importait l'identité de ceux pour lesquels il travaillait, l'opération qu'il avait montée à mes dépens prouvait d'abord l'existence d'une fuite. Cette opération avait nécessité les services d'au moins cinq professionnels, ce qui sous-entendait des déboursés considérables.

Travaillait-il pour certains membres du conseil ou représentait-il un compétiteur extérieur? Dans l'éventualité de cette dernière hypothèse, cela signifiait que ces gens étaient informés des nouveaux développements de l'enquête et qu'ils s'en inquiétaient. Donc, nous étions sur la bonne voie. Deuxième conclusion: ils possédaient une oreille dans la place.

Si, par contre, Langley travaillait pour des membres du conseil, cela expliquait qu'il soit bien informé et qu'il réagisse si rapidement, mais soulevait quand même de sérieuses interrogations. Il y avait de quoi s'étonner à voir un conseil d'administration retenir les services d'un type comme Langley. Quels actionnaires représentaient-ils donc?

Je prenais bien sûr Langley très au sérieux. Le coup du taxi et la rapidité de la mise en place du second avertissement relevaient d'un virtuose de l'intimidation. Quelqu'un à ne pas prendre à la légère, ce que je n'avais pas du tout l'intention de faire. J'étais tout de même heureux que Fenders ait insisté pour qu'on me fournisse cette équipe de protection. Au moins, lui semblait savoir à qui nous avions affaire.

Langley avait commis une deuxième erreur qui allait lui coûter cher. Il n'aurait dû y avoir qu'un seul avertissement. J'étais bien décidé à ne pas lui laisser la chance de m'approcher à moins d'un kilomètre. Pour qui prenait-il les types de la Data Security? Des enfants de choeur?

J'allumai mon terminal, mis en marche le micro-ordinateur, fis partir la cafetière et plaçai les imprimés des programmes de transmission bien en vue.

Pour ce Langley, je possédais déjà la solution. Je devais absolument le tenir à distance pendant les prochains jours. Il n'y avait qu'un moyen: réduire mes déplacements au minimum. La solution était alors toute trouvée: je résiderais à la Transit, le temps de mettre la main sur cette fuite. Le service de sécurité de l'édifice fut prévenu, les gardes doublés sur ordre de Fenders. Mes anges gardiens stationneraient en permanence dans le hall et Anthony s'occuperait de me faire parvenir vêtements et nourriture. À ce Langley d'essayer de me coincer.

Je lui conseillais de faire vite. Parce que peu

m'importait les menaces, la moralité douteuse de mon employeur, les moeurs de gangster de certains membres du conseil d'administration; peu m'importait de passer une semaine enfermé dans une pièce de trente mètres carrés, j'étais bien décidé à déceler cette saloperie de fuite. Je n'avais jamais abandonné un contrat, et ce n'était pas aujourd'hui que je commencerais.

Je me servis la première tasse de café de la journée et commençai à étaler les imprimés sur le bureau, sur la table de travail et, pour finir, sur toute l'étendue du plancher. Ces programmes totalisaient près de trois mille instructions de très bas niveau, difficilement déchiffrables.

Je passai le restant de l'avant-midi ainsi que tout l'après-midi à circuler de la table au bureau, quand je ne me promenais pas à quatre pattes sur le plancher. Épinglés sur le mur, de larges diagrammes, que je dessinais à mesure de ma progression au travers des programmes, me permirent peu à peu d'obtenir une vue d'ensemble des différentes fonctions des modules de télécommunication.

Un signal sonore me fit lever les yeux alors que j'étais penché entre la fenêtre et le classeur. Je soupirai en songeant à la série d'instructions tout à fait démentes auxquelles je venais de m'arracher. Elles symbolisaient à elles seules l'obsession de tout programmeur qui se respecte, pour qui le chemin le plus court n'est jamais la ligne droite, mais toujours celui qui possède le plus de courbes.

C'était Peters en attente sur le micro-ordinateur. J'insérai le codeur et branchai la communication.

Peters
Au rapport.

Alain
Quelque chose de juteux?

Peters
Les diagnostics de puissance sont terminés et donnent
des résultats intéressants.

Alain
Sois plus explicite, veux-tu.

Peters
Bien sûr, laisse-moi simplement le temps de sucrer mon
café. Voilà, les communications accaparent soixante pour
cent de la machine.

Alain
C'est beaucoup. Que dit le simulateur?

Peters
Pas grand-chose. Entre nous, ce n'est pas ce tas de débris
qualifié pompeusement de simulateur par ces universitaires de la côte est qui pourrait nous en apprendre.

Alain
Tu as fait appel à une voyante?

Peters
Malheureusement, je n'en ai aucune dans mes relations.
J'ai simplement contacté Sal Brunswick, cet excellent
technicien que tu as engagé la semaine dernière pour
vérifier la machine.

Alain
Que dit Sal?

Peters
Il nous a simplement fourni les formules mathématiques avec lesquelles TANDEM calcule la puissance nécessaire aux télécommunications de leurs appareils. Selon le nombre de transactions auxquelles nous avons eu droit durant la journée d'hier, les programmes de télécommunication n'auraient pas dû accaparer plus de trente pour cent de l'appareil. À moins, naturellement, que ces programmes aient été rédigés par un ramassis de programmeurs de lave-vaisselle et prennent plus de puissance qu'il n'en faut ordinairement.

Alain
Ces programmes ont été préparés sous la supervision de Frank Castel et de John Mayer, de Safe General.

Peters
On ne peut décidément qualifier ces types de programmeurs de fours à micro-ondes.

Alain
Peut-être tient-on le bon bout?

Peters
Possible. Va-t-on regarder ces programmes d'un peu plus près?

Alain
Ceux-ci possèdent près de trois mille lignes d'instructions de très bas niveau. Je suis là-dessus depuis hier. Nous

devons être certains de notre coup avant de nous jeter tête première dans cette jungle d'instructions. Il ne nous reste pas assez de temps et nous risquons de nous retrouver dans une impasse.

Peters
Pourquoi ne pas mettre Eddy là-dessus? Tu sais que ce gosse a appris à programmer avant de parler.

Alain
Non, voilà ce que l'on va faire. Vous allez me concocter vite-fait un petit programme statistique afin de déterminer lesquels des clients de la Transit communiquent le plus avec l'ordinateur. Vous me fournissez un relevé complet, et ce dans les plus brefs délais. D'accord?

Peters
Je mettrai John et Eddy en duo là-dessus. De mon côté, je programmerai une analyse des communications des sociétés les plus actives, ça peut toujours servir.

Alain
Étale ces études sur toute la semaine à partir des bandes que nous avons conservées de l'analyseur.

Peters
C'est parti! Autre chose?

Alain
Baisers à Maggie.

Peters
Si je la vois d'ici la fin de la semaine, je n'oublierai pas.

Le téléphone sonna alors que j'allais remplir la cafetière aux cabinets situés à l'étage. Je dus courir pour décrocher.

— Monsieur Bourque? Bonsoir, ici Lucie Riopelle.

— Bonsoir, dis-je surpris, vous allez bien?

— Toujours, les journées de congé, surtout que celle-ci est magnifique.

Elle hésita un instant.

— Votre invitation à une interview tient-elle toujours?

— Bien sûr! Puis-je vous inviter à dîner?

— J'accepte volontiers. J'apprécierais les *Tables basses*, un petit restaurant très bien, d'ailleurs tout près de l'édifice de la Monnaies Transit. À sept heures, est-ce que ça vous convient?

— Excellent, je vous attends à l'entrée.

— Alors, à bientôt.

Cela ne cadrait pas du tout avec les mesures de sécurité, mais il y avait moyen de faire preuve d'un peu d'imagination. J'appelai Anthony pour lui donner mes instructions. Il se contenta de soupirer, acceptant finalement de prendre certaines dispositions.

— Tu ne devais te concentrer que sur cette machine, grogna-t-il tout de même pour le principe.

— Une petite halte ne peut que faire du bien. Alors, je compte sur toi?

— Ouais.

Je me replongeai dans l'étude de ces programmes. La soirée passa vite et Lucie Riopelle se présenta à la réception à sept heures précises. On la laissa pénétrer sans difficulté et je la rejoignis dans le hall. Son ensemble bleu nuit aux accessoires roses était magnifique et je fus surpris du souci qu'elle apportait aux plus petits détails de son habillement.

— Vous êtes très belle, dis-je.

— Merci. Si nous y allions?...

— Permettez-moi d'abord de vous montrer quelque chose dans mon bureau. Vous vous interrogiez hier sur ce que je faisais de mes nuits à la Transit. Je crois que vous serez intéressée.

— Vous désirez me faire visiter notre centre informatique?

— Plutôt mon environnement de travail.

Elle parut surprise, puis répondit à mon invitation avec une petite moue de curiosité. Nous avons pris l'ascenseur, sommes sortis au troisième étage pour enfin arriver devant mon bureau. J'ouvris la porte et la laissai pénétrer. Elle demeura sur le seuil, immobile quelques secondes, interdite.

Comme toujours, Anthony avait bien fait les choses. Les imprimés avaient été repliés et déposés sur le bureau, dans le fond de la pièce. La table de travail avait été nettoyée de ce qui l'encombrait et recouverte d'une grande nappe blanche. Une bouteille de champagne dans un seau à glace trônait au milieu, entre deux chandeliers allumés. Deux couverts avaient été déposés et un bouquet de fleurs jaunes s'épanouissait dans son vase, face à la meilleure chaise qui avait pu être dénichée dans l'édifice.

— Passez-vous tout ceci dans les clauses de vos contrats? demanda-t-elle en pénétrant dans la pièce.

— C'est toujours écrit en petits caractères, dis-je en lui tirant une chaise. Le métier est difficile, mais il offre certains à-côtés agréables.

J'enjambai un terminal et passai de l'autre côté de la table.

— Paul?

Le serveur fit son entrée, en veston blanc et cravate noir. Prestement, il fit sauter le bouchon de la bouteille et versa le champagne dans les flûtes.

— Les entrées immédiatement, monsieur?

— Merci, nous attendrons quelques instants. Le chef est-il bien à ses fourneaux?

— Plutôt au four à micro-ondes, dit le serveur en souriant. Il n'attend qu'un mot pour commencer. Désirez-vous la description du menu qui fut créé à votre intention par le premier chef des *Tables basses*?

Sur mon acquiescement, il se mit à énumérer une série impressionnante de plats accompagnés de vins choisis. Je notai le Château Maucaillou 78 pour accompagner le sauté de veau Bergerac. Anthony ne négligeait jamais ce genre de détails.

— Vous n'avez qu'à téléphoner au 516, termina-t-il avant de s'éclipser.

Lucie Riopelle dégustait son champagne à petites gorgées tout en me lançant un regard appréciateur.

— Votre professionnalisme touche à l'ascétisme, dit-elle; ne quittez-vous donc jamais votre lieu de travail?

— Il y a bien sûr différents degrés à l'ascétisme. Je tenais seulement à vous faire profiter d'une soirée agréable.

— Assez originale, en effet, répondit-elle avec un sourire amusé. Si vous faisiez monter ces entrées?...

Les plats passèrent rapidement. Nous avons mangé tout en parlant de sujets et d'autres. De son travail qu'elle semblait beaucoup apprécier, de ses études qui avaient été difficiles à cause du manque d'argent. Elle venait d'une famille de onze enfants. «Eh oui, il y en a encore dans la région de la Gaspésie», m'assura-t-elle. Elle était originaire d'un petit village, sur le bord de mer. L'eau était très froide, on ne s'y baignait pas souvent. Par contre, elle accompagnait souvent son père sur son bateau de pêche, jusqu'à ce qu'un conflit, dans les pêcheries, oblige la coopérative à fermer ses portes, et son père à vendre son bateau. Il s'était recyclé dans le tourisme mais il ne s'en était jamais remis.

Puis avait commencé la saga des études. Elle avait

d'abord travaillé comme serveuse pour amasser un petit pécule, vraiment tout petit, puis elle s'était exilée à Montréal pour entreprendre des études universitaires en sciences économiques et administratives. Elle avait trimé dur, passant ses fins de semaine et de nombreuses soirées à travailler dans un casse-croûte pour routiers. Mais cette période n'était pas sans lui rappeler d'excellents souvenirs.

Après ses études, elle avait travaillé pour un bureau d'avocats d'affaires, puis à la Monnaies Transit, il y a cinq ans. Elle avait songé un instant à revenir s'installer dans son coin de pays mais le chômage y sévissait plus que jamais. Les années s'étaient écoulées rapidement à la Transit, où elle avait gravi un à un les échelons hiérarchiques, occupant sans cesse de nouvelles responsabilités.

Elle avait connu Pierre qui était avocat, puis s'était mariée et avait songé avoir des enfants. Puis était arrivée cette promotion, comme première assistante du vice-président, avec pour mission de superviser les investissements. Elle n'avait pu refuser ce poste, et les enfants durent attendre. Les heures de travail s'étaient allongées, elle accompagnait parfois le président dans ses déplacements et effectuait de nombreux voyages d'affaires dans l'ouest du pays. Ses relations avec son mari s'étaient peu à peu dégradées, puis était venu le divorce. Elle venait d'avoir trente ans.

— Une interview complète, conclut-elle.

Le serveur débarrassa la table et servit le café. Le chef vint ensuite nous saluer en nous informant qu'il retournait maintenant aux *Tables basses*.

— Excellent dîner à tout point de vue, le complimenta Lucie Riopelle. J'espère que cet impromptu ne vous a pas rendu la tâche trop ardue.

— La plus grande difficulté a été le transport. Les plats avaient tous été préparés d'avance, naturellement. Je crois, monsieur, que vous désiriez conserver le menu...le voici. Le premier chef et moi-même l'avons autographié tel que demandé.

— Merci, c'est pour mon concierge, en Californie. Il collectionne les menus et il sera comblé. Il ne dit pas un mot de français mais il cultive son accent. Il a été maître d'hôtel pendant trente ans au Salon Bleu où il se faisait appeler Jean-Pierre. Après son départ, le restaurant a perdu la moitié de sa clientèle.

— Pourquoi ne revient-il pas? demanda Lucie Riopelle.

— Il était en désaccord avec la nouvelle carte de l'établissement.

— La nourriture était de moindre qualité? s'informa le chef.

— Absolument pas, mais les prix étaient à la baisse. Jean-Pierre ne pouvait supporter cet état de chose. Il est maintenant à la pré-retraite et joue les concierges dans les condominiums de luxe.

— Voilà quelqu'un qui avait compris l'ABC du métier, répondit le chef en souriant. Vous m'excuserez, mais on m'attend.

Le chef salua une dernière fois, puis il s'éclipsa. Lucie Riopelle alluma une cigarette et prit son café noir. La nuit était déjà tombée et les bougies produisaient de curieux reflets sur les écrans cathodiques éparpillés dans la pièce.

— Appréciez-vous votre travail? demanda-t-elle.

— J'ai toujours préféré affronter des problèmes plutôt que des gens. Il est beaucoup plus facile de réparer des machines que de changer des individus, croyez-moi. Je suis donc très à l'aise dans les nouvelles techniques de l'informatique. De plus, cette partie de bras de fer entre la Monnaies Transit et un compétiteur anonyme a quelque chose d'assez attirant.

— Un compétiteur?

— Oui, des experts embauchés par les concurrents

de mes clients pour leur pirater de l'information.

Elle me fixa un moment de ses yeux clairs.

— Vous faites un drôle de métier, monsieur Bourque.

— Un métier passionnant en tout cas. Le professeur Al Passey, du M.I.T., le comparait d'ailleurs à une partie de *Space Invaders*. Plus vous faites disparaître de fraudeurs, plus il en revient. On ne peut d'ailleurs qu'apprécier leur faculté incroyable d'imagination et leur esprit inventif.

Elle réfléchissait.

— Mais tout ceci me paraît bien exigeant. Je suppose que cela a eu une influence néfaste sur votre relation avec votre femme.

— Oui...une influence néfaste... Ce n'était pas toujours facile pour elle, et puis voilà...ça s'est terminé.

Elle parut sourire.

— De la manière dont vous l'expliquez, cela semble en effet s'être terminé assez abruptement.

— Un jour, je suis revenu de Boston, après y avoir passé trois semaines, et elle n'était plus là. Plus de vêtements, ses livres préférés envolés, quelques babioles emportées... Je n'ai eu de ses nouvelles qu'une semaine plus tard. Pendant toute cette semaine, rien. Je suppose que c'était pour me faire payer mes absences.

— Ce fut difficile?

— Je ne sais pas. Vraiment, je ne sais pas. J'ai ressenti un très grand vide, même si je m'y attendais depuis longtemps. Comme le parachutiste avant de toucher le sol, j'étais prêt à me rouler en boule. J'ai bu plus que de coutume, fait du tennis plus tôt le matin, après quoi je me baignais dans une crique particulièrement froide. Quand j'ai senti que cela ne suffisait plus, j'ai sauté sur le premier contrat qu'on m'a présenté. C'était Montréal!

Elle joua un moment avec les ustensiles en argent

sur la table, les déplaçant en formant des figures compliquées.

— De mon côté, cela fut beaucoup plus simple. La séparation était prévue depuis longtemps, c'était la seule issue possible. J'ai longtemps cru que tout était de ma faute mais c'était plus compliqué que ça. Pierre était très bien mais il ne comprenait pas que rénover notre maison d'époque, pendant les fins de semaine, ne m'intéressait plus.

Elle goûta son café et considéra pensivement sa tasse. Puis elle sourit comme pour s'excuser.

— Je préférais assister à des conférences, expédier un dossier au bureau et je ne refusais jamais un voyage d'affaires. Vous savez, c'était vraiment la première fois que j'avais l'impression d'être compétente et utile. La réussite a quelque chose de grisant. Quand mon premier programme fut accepté et qu'il produisit des résultats fort honorables, je fus plus heureuse que si j'avais eu un enfant. Pouvez-vous comprendre cela, monsieur Bourque? Pour un simple programme de deux cent mille dollars? Je n'ai jamais osé le dire de cette façon à Pierre, il aurait piqué une crise de nerfs.

— Je comprends fort bien, dis-je. La réussite procure une vraie euphorie. Quand on y goûte, on ne peut plus s'en passer. Mais la réussite coûte cher.

Elle me contempla un long moment et je fus surpris de l'amitié que je pus lire dans son regard. Et puis elle avait un sacré sourire quand elle s'y mettait.

— La vie doit pourtant être facile avec vous, dit-elle, c'est étonnant que cela n'ait pas marché.

— Avec Chris? Oh! ne vous fiez pas aux apparences. Mon cas est connu de tous les psychiatres de la Silicon Valley. Connu, étiqueté, analysé par de brillants analystes qui viennent de découvrir un nouveau phénomène. Je suis le cas classique du syndrome du «flipper». Vous connaissez?

— J'avoue que...

— C'est un phénomène apparu vers la fin des années soixante-dix, surtout chez les gosses dont les parents possédaient des micro-ordinateurs. Pour la majorité d'entre eux, il s'agit simplement d'un bon achat. Pour d'autres, c'est une découverte qui efface toutes les autres. Ils négligent soudainement le base-ball, perdent le goût de la lecture, n'ont plus le temps de fréquenter les filles et ils échouent systématiquement tous les examens autres que ceux d'informatique ou de physique. Chez les adultes, ce phénomène est tout simplement sublimé. Cela vous intéresse?

— Bien sûr, continuez...

Elle avait la tête penchée, son petit poing appuyé sur la tempe et elle laissait échapper paresseusement des filets de fumée vers le plafond.

— Dans les années soixante, on parlait de «Work addicts», mais depuis le raz-de-marée technologique, cette expression est périmée. On parle maintenant de «flipper» pour qualifier ce phénomène des ingénieurs, des informaticiens ne pouvant plus se détacher de leurs machines, ne serait-ce que pour retourner vers leurs familles. Ils n'ont l'impression de vivre vraiment qu'en s'attaquant à des machines particulièrement sophistiquées, dans une ambiance sur-pressurisée. En termes cliniques, on pourrait dire qu'ils sont devenus de véritables drogués, friands de ces soudaines montées d'adrénaline qui vous font vivre en accéléré. Vous me suivez?

— Plus ou moins, je suis désolée.

— Cela n'a aucune importance. Le seul point vraiment à retenir, c'est que je suis dans un métier de fous mais je suis incapable de m'en passer. Après deux jours de vacances, je deviens vaseux. Chris aurait compris certaines choses, par exemple que je la délaisse pour m'occuper un peu plus de ma carrière, mais non que je m'ennuie auprès d'elle après deux jours de congé.

— Le moins que l'on puisse dire de vous, c'est que vous êtes franc.

— Vous n'aimez pas?

— Votre franchise? Au contraire, elle est ce qu'il y a de plus rafraîchissant. En fait, elle me plaît beaucoup.

Elle eut un de ces sourires qui vous font croire que la fin du monde est proche; puis sans crier gare, elle glissa son paquet de cigarettes dans son sac et s'apprêta à partir.

— Mais il est à peine dix heures!

— Je ne voudrais surtout pas vous priver de votre dose d'adrénaline que vous procurent vos ordinateurs sophistiqués. Bonne nuit, monsieur Bourque, j'ai beaucoup apprécié cette soirée fort originale, vraiment!

J'appelai la réception pour faire venir un taxi, et la raccompagnai jusqu'à la sortie. Son parfum, pourtant discret, emplissait le couloir. Une fois dans l'ascenseur, elle me demanda:

— Avez-vous trouvé des choses intéressantes lors de vos longs tête-à-tête avec notre ordinateur, monsieur Bourque. Je veux dire, quelque chose qui sort de l'ordinaire?

— Une fuite, voulez-vous dire?

— Non, autre chose.

Elle réfléchit, cherchant ses mots. L'assurance qu'elle semblait montrer en toute occasion sembla la quitter, puis au sortir de la cabine, elle se décida.

— Comme vous le savez, je suis responsable des investissements et il m'est apparu, au fil des derniers mois, que certaines opérations étaient...compliquées.

— Compliquées?

Nous nous sommes arrêtés dans le hall, près de l'ascenseur dont les portes s'étaient lentement refermées. Le vestibule était faiblement éclairé et la silhouette d'Al, affalé dans son fauteuil, se découpait en ombres chinoises contre le mur du fond. Elle sortit une cigarette, d'une main hésitante, et je lui offris du feu.

— Je veux dire quelque peu mystérieuses.

Elle me regarda dans les yeux, attendant que je prenne la suite. Je me taisais.

— Pour être plus précise, dit-elle, des opérations quelque peu contraires à certaines législations fiscales. On ne me tient pas informée, bien sûr, mais ma position me permet tout de même d'avoir certains échos des opérations en cours, même celles strictement confidentielles.

— Avez-vous rencontré des cas précis de fraudes fiscales?

— Je ne possède aucune preuve, aucune certitude non plus, seulement des doutes. Comprenez-moi: si ma compagnie est vraiment impliquée dans ce type de transactions, je n'ai alors qu'une issue. Je devrai la quitter.

Elle parut nerveuse, presque désemparée.

— Si vous avez accès à toutes les informations, vous finirez par découvrir ce dont je parle. Vous êtes un expert, non?

— Peut-être, mais mon mandat ne consiste qu'à rédiger un rapport sur les mesures de sécurité. L'étude des programmes financiers n'est pas comprise dans mon mandat.

Elle attendait anxieusement, et paraissait presque vulnérable. J'avais l'air d'un beau salaud avec ma rhétorique officielle.

— Enfin, si vous avez des doutes sur la moralité de vos employeurs, sachez que je les partage aussi. Mais les affaires sont les affaires. Seulement, si les choses tournent mal pour vos employeurs, votre réputation risque d'en être entachée.

— Vous devez avoir rencontré des cas précis, ajouta-t-elle nerveusement.

— Je n'ai pas dit ça, je peux seulement confirmer vos doutes. Vos patrons ont les idées larges et ils ne s'embarrassent pas de scrupules. Prenez ça, hum...comme vous voulez.

— Je vois, par votre façon d'en parler, que ce n'est pas la première fois que vous avez affaire avec de telles pratiques.

— J'ai vu beaucoup de choses dans mon métier, dis-je prudemment, mais je dois admettre que je suis assez impressionné par ce que j'entrevois ici.

— Il n'y a pas de quoi être impressionné si mes patrons sont impliqués dans des opérations illégales, monsieur Bourque. Est-ce vraiment si...sérieux?

Elle se mordait nerveusement le bout des lèvres en me fixant de ses yeux très clairs. Elle avait l'air d'un oiseau blessé.

— C'est très sérieux. Ça va de la fraude fiscale au blanchissage de capitaux, sur une très grande envergure. Assez difficile d'être plus illégal qu'ici.

Voilà, c'était sorti. J'avais balayé, en quelques phrases, tout le code d'éthique de la profession, pour ne pas parler des règles de prudence les plus élémentaires, mais au moins je n'étais pas un salaud, comme l'avait maintes fois affirmé Chris.

Elle baissa la tête, songeuse. Je ne voyais d'elle que son profil, dont une partie était cachée dans l'ombre. Quand elle releva la tête, elle parut plus calme, comme apaisée par la confirmation de ses doutes.

— Merci, monsieur Bourque, je saurai prendre la bonne décision.

Elle se retourna un instant pour écraser son mégot de cigarette dans le cendrier, près de l'ascenseur, puis elle me demanda:

— Puis-je savoir quelle est votre réaction face à votre client, monsieur Bourque?

— Je ne peux me permettre d'émettre de jugements, tout le temps que durera mon contrat. Je ne suis ici que pour analyser les moyens de protection dont dispose mon client pour faire face au piratage illégal dirigé contre lui. Les occupations auxquelles se livre ledit client ne me regardent en aucune façon.

Les bruits de la rue envahirent soudainement le vestibule, portés par une légère brise nocturne. Le gardien tenait la porte entrouverte.

— Le taxi est arrivé, madame Riopelle.

Elle contempla la rue, puis me fixa sans rien dire. Elle hésitait, comme si elle avait envie de dire autre chose. Me vint à l'esprit l'image de la petite fille au bout du quai qu'elle m'avait décrite plus tôt. Elle semblait attendre une dernière invitation, un verre à se faire offrir, des conseils. Peut-être aurait-elle voulu que je la raccompagne chez elle.

Mais dehors, il y avait Langley.

Elle semblait immobilisée dans le corridor, hésitante à partir. Je détaillai rapidement la porte entrouverte, la rue bruyante, l'enseigne lumineuse du taxi qui se reflétait dans la porte vitrée.

— Puis-je vous offrir un dernier café dans mon bureau? dis-je tout doucement.

Elle sourit gentiment, et me tendit la main. Elle était douce et chaude, mais sans trop.

— Merci, je vais rentrer.

Elle me quitta pour monter dans le taxi, qui s'éloigna dans l'obscurité. Le gardien verrouilla rapidement la porte. Al, toujours absorbé dans son journal sportif, ne me jeta aucun regard. J'appuyai avec rage sur le bouton d'appel de l'ascenseur et je m'engouffrai dans la cabine, où je pus me défouler à ma guise en distribuant coups de pied et coups de poing contre les murs de l'ascenseur. Après un dernier coup dans la porte, je m'engageai dans le corridor.

Le serveur finissait de nettoyer la table en empilant les restes dans des boîtes de carton. La bouteille de vin à moitié vide avait été déposée sur le bureau. Une invitation que je n'avais pas l'intention de refuser.

— Prenez donc un verre avec moi, dis-je au serveur.

— Désolé, mais je dois reprendre le service ce soir.

— Alors, laissez-moi un verre, je vous prie.

Il dénicha un verre propre dans le fond d'une boîte et me le remit. Puis il quitta la pièce après un dernier bonsoir, les bras chargés de boîtes. Je me servis un verre, approchai la chaise devant la fenêtre et contemplai longuement les lumières de la ville.

Si j'avais été un héros de cinéma, j'aurais pris mon revolver, claqué des doigts en direction d'Al et raccompagné la dame chez elle. Mais je n'avais jamais tenu de revolver de ma vie, et ce n'était pas aujourd'hui que je commencerais; se faire claquer des doigts n'était pas inscrit sur le contrat d'Al; et ce Langley me fichait une peur bleue. En conclusion, je devais attendre la fin de mon contrat pour revoir cette dame. J'envoyai valser la corbeille à papiers d'un coup de pied et me servis un nouveau verre.

Comme si ce n'était pas assez, Chris revint me hanter. Je me souvins de cette soirée où elle m'avait abordé, en me prenant pour un autre. Pour une fois, cela m'avait servi. Souvenir également du silence de deux bonnes minutes au bout du fil lorsque je l'avais rappelée, deux jours plus tard, pour l'inviter à dîner. Du premier bain de minuit; de son goût ruineux pour les antiquités chinoises; de notre première année de vie commune; de la deuxième et naturellement de la troisième fois, comment l'oublier? Ses remontrances parce que je travaillais trop, ses réflexions acerbes sur Buddy qu'elle détestait, ses demandes pressantes pour que j'accepte un poste stable dans une de ces grandes compagnies d'informatique.

Mais qu'aurais-je fait derrière mon bureau à commander des ronds-de-cuir qui s'imaginaient pouvoir contrer l'espionnage industriel en faisant du neuf à cinq?

Ces types se contentaient de blinder leurs ordinateurs de mots de passe impressionnants comme HERCULE 25, MAMMA et ZORRO et ils partaient en peur lorsque des *hackers* leur bousillaient leurs machines pour se venger d'avoir été coulés dans leurs examens de mathématiques.

«Prends moins de contrats», me disait alors Chris. Excellente suggestion. Mais qu'aurais-je fait de mes journées après ma partie de tennis à six heures du matin, mon double scotch à huit heures, pour respecter la tradition des nuits blanches à la Data Security, mes deux revues techniques expédiées avant midi, un léger déjeuner avalé chez *Joey's Beach and bar* et pour finir quelques brasses dans l'océan? Il me restait cinq heures à tuer avant l'arrivée de Chris.

Quelquefois, je branchais mon micro-ordinateur sur un réseau choisi au hasard et prenais contact avec les clubs très sélects de *hackers* américains. Je discutais du coup avec Kid Technic, Captain Compute et Big Bits Warrior. Captain Compute me racontait ses problèmes avec sa soeur, Big Bits m'apprenait un nouveau truc pour bousiller l'ordinateur de la compagnie X tandis que Kid se plaignait sans cesse de la sévérité de son père qui lui confisquait son ordinateur pour le forcer à se coucher à dix heures.

Je pouvais discuter des heures avec ces gosses, j'étais connu sous le nom de IBM Buster et je demandais toujours conseil pour mes problèmes de maths. Quelques-uns m'ont appris des trucs étonnants, mais je n'étais jamais en reste et certains analystes en sécurité durent avoir de méchants maux de tête. Je disais à tout le monde que mon père était ingénieur chez IBM et qu'il me refilait des trucs. J'étais très populaire et Chris s'étonnait toujours de la montagne de courrier électronique que je recevais à tous les jours.

Elle ne s'en formalisait pas, du moment que je restais

à la maison. Mais c'était surtout que je me reconnaissais chez ces gosses. Ils avaient les yeux rivés sur leurs écrans jour et nuit, négligeait le base-ball, ne comprenaient rien aux filles et s'aventuraient dans les ordinateurs défendus comme Thésée dans le labyrinthe. Leurs messages, reçus sur les écrans au milieu de la nuit, ressemblaient à des chuchotements; les gosses s'échangeaient les mots de passe des plus grandes banques de données de l'Amérique comme autant de formules magiques. Aucun n'avait plus de quinze ans et ils étaient tous frappés du virus du «flipper».

Puis Chris revenait à la maison. Elle était fatiguée, sa journée de travail étant rarement de tout repos. Nous bouffions, regardions la télé; quelquefois nous allions faire un tour au cinéma ou dans un des nombreux bars de la côte. Mais peu à peu je devenais blasé et sombre. J'allais me promener sur les dunes, je transgressais le principe de pas-un-verre-entre-huit-et-cinq-heures, je traînais chez *Joey's* ou j'allais brûler l'essence de ma voiture dans des randonnées sans but à l'intérieur des terres.

Arrivait ensuite la seconde phase. Je m'ébrouais, reprenais la bougeotte, discutais de la dernière découverte technique avec Peters et m'informais par téléphone des différentes enquêtes de la Data. Y avait-il un problème, j'y allais invariablement d'un conseil, reçu avec une ironie amicale par ceux qui oeuvraient sur le terrain.

Je refusais le premier contrat proposé par Buddy, expliquant que je voulais profiter encore de mes vacances. Mais celui-ci n'était pas dupe et il m'en proposait un autre quelques jours plus tard. Il faisait alors appel aux superlatifs les plus percutants de son vocabulaire. Il s'agissait du «coup sûrement le plus tordu de toute l'histoire de l'Union»... «tout le monde se demande encore comment ils ont pu faire leur coup»... «tous les experts en sécurité s'y sont cassé le nez»... «jamais vu depuis que cette équipe a enfoncé l'ordinateur de la Master's et s'en est tiré avec dix millions».

Il lui fallait alors invariablement «constituer un commando d'informaticiens de choc», composé uniquement «de types qui en ont dans le ventre», tout en s'inquiétant du «comment nos compétiteurs vont-ils avaler la pilule»... en prenant un air soucieux de circonstance. Comment pouvais-je refuser un boulot aussi alléchant?

Et voilà, c'était reparti. J'acceptais le contrat et j'allais annoncer la nouvelle à Chris. Je partais pour deux, trois, ou cinq semaines pour Houston, peut-être Détroit ou Toronto; j'étais déjà resté bloqué six semaines à Atlanta, et je reviendrais brûlé comme à chaque fois.

Je quittai la fenêtre et allai jeter la bouteille vide dans la corbeille à papiers. Il était près de deux heures du matin...donc dix heures à Los Angeles où Chris devait s'endormir dans les bras d'un autre. Elle n'avait pris aucune chance et elle ne risquait pas de se tromper: un écrivain ne serait pratiquement jamais absent de la maison!

Je fis quelques exercices pour chasser l'engourdissement, remis la cafetière sur son réchaud et étalai à nouveau les imprimés des programmes sur le bureau, la table de travail et toute la surface du plancher. J'étais prêt à jouer une autre partie de flipper.

X

Les Trans-14 et Trans-17

L a lumière du jour inondait la pièce et me brûlait le visage. J'enlevai mon veston tout en me levant. La pièce était dans le même fouillis où je l'avais laissée la veille, parsemée d'imprimés annotés au feutre rouge et les murs recouverts de diagrammes. La bouteille de vin dépassait de la corbeille à papiers, surnageant au milieu d'un monceau de paperasses. Je l'enfonçai du pied et la recouvris d'imprimés chiffonnés.

J'appelai Al qui était toujours de faction dans le vestibule, afin qu'il me commande un petit déjeuner. Puis je fouillai dans mon attaché-case pour y prendre des vêtements de rechange. Ce n'était pas le luxe: j'avais préféré ne pas apporter de valise pour ne pas éveiller les soupçons, ne serait-ce que pour gagner quelques heures. Je descendis ensuite aux douches, aménagées au sous-sol.

L'aire de repos et d'exercices n'était équipée que de bicyclettes-tractions mais elle était très vaste. Elle devait avoir été aménagée pour les besoins des cadres soudainement soucieux de leur rythme cardiaque mais peu portés aux exercices violents. On m'avait d'ailleurs affirmé qu'elle n'était que très peu utilisée. En apercevant les murs de béton, je regrettai de ne pas avoir apporté ma raquette de tennis, puis je passai sous la douche.

J'expédiai ensuite le petit déjeuner qui m'attendait sur le coin du bureau, puis j'entrepris l'étude du programme qui m'avait particulièrement intrigué la veille. À certains moments, les messages semblaient avoir été envoyés à deux reprises au même destinataire.

À première vue, cela apparaissait conforme aux procédures normales de transmission. Tous les programmes de télécommunication fonctionnement selon le principe de l'envoi-réponse.

Le principe de base de toute télécommunication est simple. L'ordinateur envoie un message à l'ordinateur ou au terminal avec lequel il est en communication. Il attend ensuite l'avis de réception avant d'en envoyer un suivant. Si l'avis de réception n'est pas reçu, l'ordinateur prend pour acquis que le message n'a pas été acheminé, pour différentes raisons techniques, et il renvoie alors le même message jusqu'à ce que l'avis de réception lui parvienne. Il passe ensuite au message suivant. Voilà pour la procédure habituelle.

Cette procédure était prévue dans les programmes que j'avais en main, mais venait s'y greffer une curieuse habitude qui consistait à acheminer certains messages par deux fois, peu importe l'avis de réception. Pourquoi expédier par deux fois le même message, et pourquoi ces messages en particulier?

Peut-être était-ce une mesure de protection supplémentaire pour s'assurer que certains messages importants arrivent bien à destination. Mais j'avais plutôt l'impression qu'il s'agissait d'une pratique étrange. On frappa rapidement à la porte et Yves Adams passa la tête par l'entrebâillement de la porte.

— Bonjour, je dérange?

— Pas du tout, dis-je, fais seulement attention où tu mets les pieds.

Yves entreprit de se frayer un chemin au travers des imprimés, replia celui qui était installé sur la chaise d'en face et s'assit. Il jeta un regard appréciateur sur le décor en s'attardant particulièrement sur le plancher où les imprimés repliés semblaient monter par vagues successives à l'assaut des murs.

— Ce bureau a de la gueule, dit-il. On doit vous donner ça, les consultants, vous savez soigner votre image.

«Café, Yves?» dis-je en lui tendant la cafetière d'une main tout en annotant l'imprimé de l'autre. Je venais de dénicher une instruction suspecte et je ne tenais pas à la perdre de vue.

— Volontiers, dit-il.

Je relevai la tête et servis le café pour deux. Adams remercia d'un signe puis mesura avec précaution la quantité de sucre à verser dans sa tasse. Je remarquai que sa cravate était anormalement chiffonnée pour une heure aussi matinale.

— Ça va, Yves?

— Oui, oui, mais la soirée de samedi vient à peine de se terminer. Cette journée-ci sera très longue. T'y retrouves-tu vraiment dans ce fouillis d'instructions?

— Il ne s'agit certes pas d'un boulot facile, mais...

— ...ça progresse, je suis heureux de te l'entendre dire, conclut Yves en souriant. J'ai déjà travaillé à l'amélioration de ces programmes, tu sais, mais seulement en y ajoutant quelques procédures de mon cru. Je ne me serais jamais permis de retrancher ou de modifier une seule instruction. Dieu seul sait quelle bombe aurait pu en résulter.

— J'espère que tu ne te formaliseras pas si je continue à suivre ce dédale d'instructions pendant que je te parle. C'est que je suis plutôt pressé par le temps, tu vois.

— Bien sûr, dit Yves en balançant minutieusement quelques grains de sucre supplémentaires dans sa tasse. Je suis venu te remercier pour la revue technique que tu m'as fait parvenir concernant le micro-processeur capable de répondre à des commandes verbales. Ton associé Peters y a même ajouté une note indiquant où se le procurer à meilleur prix. J'ai déjà commandé et on doit me le livrer par avion.

— Magnifique! Donne-moi l'imprimé TRANS-14, veux-tu. Il doit se trouver à ta gauche entre la corbeille et le classeur.

Adams me passa l'imprimé que j'étalai à côté de celui que j'étais en train d'étudier. Je repérai rapidement ce que je cherchais. C'était bien le TRANS-14 qui ordonnait ces doubles transmissions fort curieuses.

— Où en est rendue cette sculpture commandée par la voix? demandai-je tout en suivant du doigt la progression des instructions.

— Nous allons refaire les plans à neuf. Mais peut-être y aura-t-il des problèmes.

— Annie n'a pas changé d'idée, au moins.

Je commençais à remonter peu à peu le fil d'Ariane reliant tous les programmes entre eux et qui aboutissait à ces transmissions suspectes. Envoyer par deux fois le même message au destinataire était tout à fait ridicule. Et si le second message était plutôt envoyé à un autre destinataire? Voilà qui serait intéressant. Mais je ne parvenais pas à trouver l'endroit où la première destination du message aurait pu être modifiée.

— Annie changer d'idée? s'exclama Adams, ce qui eut pour effet de me faire relever la tête sous la force de l'intonation. N'y compte pas. Elle jongle déjà avec des titres ronflants du genre «Art Robotique», «Sculpture technologique» ou «Essences binaires». Non, elle tient seulement à y ajouter un gadget supplémentaire. Tu y connais quelque chose en voix synthétique?

— Rien à rien, mais remarque, tu n'as qu'à planquer un magnétophone dans la structure, cela reviendra au même. Donne-moi le TRANS-17, veux-tu, celui à ta droite. Ce curieux programme me semble à la base de tout un remue-ménage. Bizarres, ces transmissions, tu ne trouves pas?

À l'affût d'une quelconque réaction, j'en fus pour mes frais.

— Je n'en dis absolument rien du tout, et sans vouloir te vexer, je m'en tape totalement de ce programme. Tu connais l'histoire, elle est la même dans toutes les boîtes. Ceux qui ont conçu ces programmes sont partis depuis longtemps et personne, je dis bien personne, ne sait plus comment ils fonctionnent. Avec les années, on y a ajouté quelques instructions ici et là afin d'obtenir des fonctions supplémentaires, et c'est devenu un monstre absolument incompréhensible. Tout ce que l'on sait, c'est que ça marche.

«Huummmmmmmmmm», dis-je en me replongeant le nez dans l'amas d'instructions qui semblaient s'agglutiner autour de l'initialisation des paramètres des lignes de transmission. C'était un joyeux fatras. Vrai, ils devaient faire exprès.

— Pour en revenir à la voix synthétique, poursuivit Adams, sais-tu où je pourrais trouver de la documentation sur le sujet? Pour Annie, c'est devenu un must, elle ne peut plus s'en passer. «Si cette sculpture peut écouter les commandes, pourquoi ne pourrait-elle pas y répondre?» voilà ce qu'elle n'arrête pas de me dire.

Je relevai la tête encore une fois. Yves me fixait, attendant une réponse. Ses yeux clignotaient comme au ralenti. Je devais l'avouer, ce type me plaisait bien. J'espérais vraiment qu'il ne fût pas à l'origine de cette fuite. Mais si mon hypothèse des doubles messages était exacte, lui seul était de taille à l'implanter dans l'ordinateur. Par contre, si je ne parvenais pas à mettre la main sur cette instruction qui modifiait possiblement la destination des doubles messages, cela ne demeurerait qu'une hypothèse.

Je pouvais passer plusieurs semaines à chercher, et il n'était pas dit que je la trouverais. Cette instruction pouvait fort bien ne pas être inscrite dans ces programmes, et cachée plutôt dans un des replis de la mémoire normalement utilisée à une autre fin, pour n'être activée qu'en temps utile.

— Peters pourrait te renseigner à propos de la voix synthétique, il connaît tout et tout le monde. S'il ne possède pas la documentation, il la trouvera. Je suis censé lui parler aujourd'hui et je lui en glisserai un mot. Ça te va?

— Excellent, répondit Yves soudainement épanoui. Cela donnera une sculpture-machine du tonnerre.

Le signal du micro-ordinateur se fit entendre. Je rapprochai l'écran, insérai le codeur et pianotai la commande afin d'activer la communication.

— Tu permets, ce sont les copains de Los Angeles.

— Oui, oui, mais n'oublie pas cette histoire de voix synthétique et prête-moi cet imprimé afin que j'y jette un coup d'oeil.

J'hésitai un instant: les instructions suspectes étaient toutes encerclées de rouge. Mais je jugeai qu'il aurait été tout à fait inutile, dans les circonstances, de jouer à cache-cache. Je tendis l'imprimé à Yves qui se mit à l'étudier attentivement tout en déplaçant machinalement ses épaisses lunettes. Je reçus la première phrase:

Peters
Nous avons pu isoler la fuite.

Alain
Un double des messages?

Peters
Nous aurais-tu dépassé au poteau d'arrivée?

Alain
Je ne faisais que fouiller dans cette direction, mais sans rien trouver de sérieux. Comment font-ils?

Peters
Du beau travail, et difficilement déchiffrable. Nous avons tout d'abord effectué l'étude demandée sur la répartition des messages reçus par les compagnies clientes et il nous est vite apparu que deux compagnies se partageaient, à elles seules, près de la moitié de tous les messages envoyés. Nous avons ensuite branché le programme d'analyse que j'avais conçu, mais ça n'a rien donné du tout. Alors, nous nous sommes rabattus sur une recherche manuelle si j'ose dire. Nous avons scruté tous ces messages à la loupe, en y passant une bonne partie de la nuit.

Alain
Accouche, Peters!

Peters
Je sais, je suis intarissable quand il s'agit de parler de mes bons coups. Mais tu es le seul sur la planète à qui je peux m'en vanter; Maggie essaie toujours de changer la conversation. Bon! la suite: ces deux compagnies reçoivent à elles seules un double de tous les messages envoyés dans le réseau. C'est vraiment ce que l'on pourrait qualifier d'une infiltration en profondeur.

Alain
Mais comment font-ils pour brouiller les traces?

Peters
Ce qui rend la détection du procédé si difficile, c'est que

les messages piratés sont envoyés en ordre dispersé. Les deux compagnies en question peuvent ne recevoir aucun message pendant un certain temps, puis elles sont soudainement envahies par une bordée de messages qui leur arrivent dans n'importe quel ordre.

Alain
Le nom de ces deux compagnies?

Peters
La Financial Western et la Greath North Capital, toutes deux de Calgary.

Alain
En ordre dispersé, hein? Une seconde...

— Yves, donne-moi le TRANS-17, je te prie.
— Des problèmes? demanda-t-il en me tendant l'imprimé. Tu as vraiment l'air tout excité.
— Non, rien de spécial, je veux simplement vérifier quelque chose avec Peters. Il vient de soulever un point intéressant.

En ordre dispersé, cela voulait dire que les messages devaient être stockés quelque part en mémoire avant d'être acheminés. Le programme devait donc réserver une fraction de la mémoire de l'ordinateur à cette fin. Voilà qui était beaucoup plus facile à trouver. Je fis voleter les pages de l'imprimé. Où avais-je donc vu cette séquence d'instructions tout à fait démentes?

J'avais d'abord cru que cette série ne servait qu'à satisfaire le besoin de sensations fortes qu'éprouve tout programmeur qui se respecte, soudainement lassé du train-train quotidien. Je trouvai la séquence en question vers le milieu du programme, cachée au milieu d'instructions toutes plus complexes les unes que les autres. Ce que j'avais pris pour un exercice de haute voltige dans l'art de programmer la tête en bas, servait en fait à camoufler de façon plutôt ingénieuse une réservation d'espace dans la mémoire de l'ordinateur. Les instructions suivantes ne laissaient plus de doute: le programme prévoyait bel et bien l'envoi d'un double message.

Je reposai l'imprimé sur le bureau et me laissai aller contre le dossier de ma chaise. Voilà qui ferait plaisir à Fenders. Nous avions mis la main sur cette fuite qui le mettait en difficulté au conseil et nous pouvions facilement la colmater. Un petit travail d'une demi-heure et tout serait terminé.

Mais l'enquête n'était pas terminée pour autant. Il restait tout d'abord à identifier celui qui avait apporté ces modifications pirates aux programmes et découvrir ensuite l'identité réelle des actionnaires à qui profitait ce détournement d'information. C'était mon travail de dénicher la taupe, celui de Taylor et de Peters d'identifier ces actionnaires. Si Taylor n'y parvenait pas, Peters débarquerait à Calgary avec une petite équipe afin de mettre ces deux compagnies sur écoute.

Mais je devais d'abord me rapporter aux autorités de la Transit afin de recevoir de nouvelles instructions. Désiraient-ils colmater cette fuite au plus vite, ou s'en servir comme appât pour identifier la taupe plus facilement?

— Ces programmes m'ont l'air encore plus obscurs que la moyenne, dit Adams d'un air dégoûté tout en me remettant l'imprimé. J'espère ne pas avoir à y travailler de sitôt. As-tu trouvé quelque chose?

— Fausse alerte, dis-je d'un ton découragé. Ces imprimés ne sont bons qu'à jeter à la poubelle.

— Allons, me consola Yves, si tu ne trouves rien de suspect, cela veut tout simplement dire que notre ordinateur est fiable. C'est déjà un bon résultat.

— Possible...Écoute, Yves, tu m'excuseras mais il faut que je te mette à la porte. Les échéances, tu comprends. Je n'oublierai pas de discuter du coup de la voix synthétique avec Peters.

— Eh bien, bonne chance! De mon côté, je retourne à mon bureau où j'essaierai de trouver où j'ai bien pu cacher cette boîte d'aspirines. Puis-je marcher où je veux? Je veux dire, sur les imprimés?

— Pas de problème, ils sont inutiles maintenant.

Je repris la communication avec Los Angeles alors qu'Yves refermait la porte derrière lui.

Alain

Je viens de trouver la manière qu'ils utilisent, ce sera facile à colmater.

Peters

On envoie une équipe à Calgary?

Alain

Buddy décidera, après consultation avec le client. Pour l'instant, je vais me rapporter au vice-président afin de lui faire part des nouveaux résultats. Buddy est-il au courant?

Peters

Pas encore, je voulais d'abord confirmer avec toi. Pas question que je te fasse le coup d'Atlanta où tu avais directement rapporté le résultat au client en passant par-dessus la tête de ton analyste principal, moi en l'occurrence.

Alain

Allons, Peters, c'est du passé tout ça. Rapporte nos

conclusions à Buddy.

Peters
JImmédiatement. Autre chose?

Alain
Tu y connais quelque chose en voix synthétique? Adams demande de l'information sur le sujet afin de pouvoir l'incorporer à sa structure. Si tu pouvais lui dénicher quelque chose là-dessus, cela lui ferait plaisir. C'est un chic type à qui nous avons causé beaucoup d'ennuis.

Peters
Pour l'incorporer à cette horreur que tu m'as décrite? J'ai quelque chose qui tombe à point. Un truc fabriqué par un de ces petits rigolos de l'automobile. Tu sais qu'ils effectuent des recherches poussées sur le sujet là-bas. La voiture de l'avenir et tout. Ils ont, chez eux, un type surnommé docteur Frankeinstein. Je vous envoie sa dernière trouvaille qu'il réserve aux amateurs.

Alain
Excellent, nous ferons des heureux à Montréal.

Je coupai la communication, rempochai le codeur et pris contact avec Harvey par téléphone. Je l'avertis simplement qu'il y avait de nouveaux développements. Il me donna rendez-vous dans quinze minutes. Je passai les dix minutes suivantes à mettre de l'ordre dans mon bureau. Quand celui-ci eut retrouvé un air civilisé, je montai aux étages supérieurs.

Claude Harvey me reçut debout dans le fond de la pièce, le dos tourné à la fenêtre. Il s'avança poliment pour me serrer la main et m'offrit un siège. Après avoir contourné son large bureau, il s'installa dans son fauteul de cuir noir qui bascula lentement vers l'arrière.

— Alors, monsieur Bourque, de nouveaux développements?

— Nous avons isolé la fuite, monsieur.

— De façon certaine?

— Irréfutable.

Il prit un air appréciateur.

— Expliquez-moi, dit-il.

— Les programmes de télécommunication ont été trafiqués afin d'envoyer à deux compagnies clientes un double de tous les messages et transactions transmis par votre ordinateur. Ces deux compagnies sont la Financial Western et la Greath North Capital.

Harvey joignit les mains qu'il appuya contre son menton. La tête penchée, il réfléchit un moment.

— Toutes les transactions, dites-vous?

— Exact, monsieur. Ils sont informés de tout ce qui circule sur le réseau entre vous et vos clients. Tous vos clients, sociétés écrans comprises. Comme les deux compagnies se partagent le flot des transactions en parts à peu près égales, nous pouvons conclure qu'elles sont associées dans cette opération.

— C'est donc ainsi qu'ils s'y sont pris! C'est très ingénieux de leur part.

Il se tut pendant quelques secondes, frotta doucement ses deux mains l'une contre l'autre.

— Qu'en déduisez-vous? finit-il par demander.

— Le travail n'a pu être effectué que de l'intérieur, et par un spécialiste hautement qualifié. Les deux programmes trafiqués sont d'ailleurs remplis d'instructions difficilement déchiffrables.

— Le nom de ces programmes?

— Le TRANS-14 et le TRANS-17. Nous pouvons colmater cette fuite dans la demi-heure qui suit, si vous le désirez, comme nous pouvons nous en servir pour induire en erreur vos compétiteurs...c'est à vous de décider. On peut aussi tenter d'identifier les actionnaires de ces deux compagnies, et puis leur agent à l'intérieur de votre propre compagnie.

Il me sourit avec une bienveillance toute paternelle.

— Excellent! dit-il, voilà une enquête menée avec rapidité et doigté. Le tout en seulement huit jours, c'est presque incroyable. Puis-je vous féliciter, monsieur Bourque?

— Merci, mais j'avais une très forte équipe derrière moi.

— Vous êtes beau joueur en plus, très bien! J'apprécie ce trait de caractère. On ne peut vraiment réussir que si l'on est efficacement secondé et il faut savoir le reconnaître. C'est pourquoi j'apprécie tant l'effort fourni par mes adjoints, en particulier celui de madame Riopelle.

Il joua machinalement avec une feuille dactylographiée déposée sur son bureau.

— Maintenant, que faisons-nous? demandai-je.

— Nous mettons fin à votre contrat.

— Pardon?

— Je me trouve dans l'obligation de me défaire de vos services, monsieur Bourque.

J'étais abasourdi.

— La raison?

— Oh! dit-il en ponctuant d'un petit geste de la main, ce n'est surtout pas à cause de la qualité de vos services, bien au contraire. J'ai de bonnes raisons. La première se trouve sur cette feuille.

Il la prit d'une main et l'étudia un moment. Je vis qu'il s'agissait d'une photocopie d'un imprimé d'ordinateur.

— À ma demande, poursuivit-il, monsieur Adams me fournit, tous les jours, la liste des programmes dont vous faites imprimer une copie par l'ordinateur. Je vois ici que vous avez obtenu pas moins de huit programmes financiers concernant les opérations de change de monnaies. En fait, cela représente la totalité de ces programmes. Qu'avez-vous appris en étudiant ces programmes, monsieur Bourque?

— Que vos compétiteurs ne les avaient pas trafiqués, tout simplement.

— Et ceci vous a pris six heures de travail? Je vois sur le suivi du travail de l'imprimante que l'impression de ces informations a demandé six heures et qu'elle a été effectuée samedi soir dernier.

— Je cherchais dans une autre direction en même temps, dis-je en haussant les épaules, mais je me suis vite aperçu que je faisais fausse route et j'ai aussitôt abandonné cette piste.

— Qu'avez-vous trouvé dans ces programmes? demanda-t-il avec une légère nuance d'impatience dans la voix. À première vue, on ne peut avoir qu'une vague idée des opérations. Mais je crois que nous pouvons faire confiance en vos talents. Et vous avez dû en apprendre beaucoup plus qu'il ne faudrait sur le sujet.

Comme je me taisais, il déposa la feuille sur le bureau avec un léger mouvement de dédain.

— Vous avez outrepassé les frontières de votre mandat, ce qui met simplement un terme à nos relations d'affaires. Considérez donc les termes de votre contrat comme nuls. Vous recevrez vos honoraires comme prévu jusqu'à la fin de la semaine, mais vous pouvez faire une croix sur les clauses extraordinaires, comme la prime en cas de réussite, par exemple.

Avec ces imprimés, j'avais fait une sérieuse erreur. J'aurais dû simplement consulter les programmes sur l'écran, quitte à prendre plus de notes en les étudiant.

Mais je ne m'avouais quand même pas battu aussi rapidement.

— Vous extrapolez sérieusement à partir d'un sujet sans importance pour moi, monsieur Harvey. Je laisse à monsieur Johnson le soin de discuter des détails de notre contrat, mais vous faites erreur en croyant que nous allons renoncer à la prime promise après avoir livré la marchandise. Parce que la marchandise a été livrée, monsieur Harvey, et je trouve de fort mauvais goût ce type de pratique à laquelle vous êtes en train de vous livrer. De fort mauvais goût, et assez dangereux.

— Dangereux? Quel type de danger courons-nous, monsieur Bourque? demanda-t-il doucement.

S'il s'imaginait que j'allais tomber dans un piège aussi évident, il en serait quitte pour ses frais. Mais il changea de tactique.

— Ainsi ces programmes vous ont beaucoup appris...Des choses dangereuses, je suppose.

— Ces programmes ne m'ont rien appris du tout, et sachez que je considère vos prétextes pour briser le contrat d'une incroyable futilité. Je laisse à monsieur Johnson le soin de régler cela avec vous. Mais dans mon cas, je dois vous avertir que je suis mandaté par votre conseil d'administration et j'ai bien l'intention de poursuivre mon travail, à moins que monsieur Fenders ne m'avise du contraire.

Il lissa un moment la surface du buvard recouvrant son bureau.

— Monsieur Fenders n'assume plus la présidence du conseil d'administration depuis la nuit dernière, dit-il doucement. Les choses ont évolué et on m'a maintenant confié cette tâche difficile.

— Vous dites que vous êtes le nouveau président du conseil? demandai-je, déconcerté.

— Exact! répondit-il, visiblement satisfait.

J'étais plus que stupéfait. Mais que se passait-il donc

dans cette boîte? J'étais habitué à réagir rapidement, mais cette fois-ci, peut-être à cause de la fatigue accumulée au cours des derniers jours, j'étais dépassé par les événements. C'est pourquoi j'avais commis des erreurs coûteuses.

Fenders constata mon soudain désarroi et il tenta d'en profiter.

— Je suis le nouveau président, dit-il d'un ton plus conciliant. Cela devrait vous amener à reconsidérer vos positions. Peut-être avez-vous commis, sans le savoir, des erreurs...nous pouvons sûrement nous entendre. Avouez d'abord que vous vous êtes avancé un peu loin.

J'avais, jusqu'à maintenant, eu une approche toute classique, mais la situation à la Monnaies Transit exigeait autre chose. Il aurait été suicidaire d'avouer quoi que ce soit. Un consultant extérieur n'a en aucun temps le droit de toucher aux informations confidentielles d'une compagnie cliente, c'est, dans ce milieu, le crime absolu. Tout informaticien qui ne respecte pas ce principe est immédiatement remercié de ses services. Pour les consultants extérieurs, cela tourne presque à l'hystérie.

Je niai donc tout en bloc.

— Je n'ai rien outrepassé du tout, dis-je d'un ton exaspéré, je suis venu ici avec un mandat très clair: mettre fin à cette fuite à tout prix. J'avais carte blanche et je m'en suis servi. Tout le reste n'a que peu d'importance à mes yeux.

Harvey me contempla avec un air de compassion, comme si tout était perdu pour moi.

— Je serais fort étonné que monsieur Johnson prenne à la légère qu'un contrat aussi lucratif ait été perdu à cause d'un consultant trop curieux.

Après avoir laissé un temps mort pour permettre à l'idée de faire son chemin, il poursuivit:

— Expliquez-moi simplement où vous ont conduit vos recherches et nous pourrons certainement en arriver à un compromis. Nous voulons savoir ce que vous avez trouvé, car nous sommes intéressés à démasquer cette taupe. Nous sommes raisonnables et un terrain d'entente pourrait facilement être trouvé. Qu'en dites-vous?

J'étais coincé. J'aurais dû me garder une porte de sortie mais j'avais commis l'erreur classique de ne m'appuyer que sur des fragments d'information. Je me doutais cependant que cette histoire de programmes protégés n'était qu'un prétexte pour me remercier. La prise en charge du fauteuil présidentiel, par Harvey, était la véritable raison de ce revirement. Fenders n'aurait porté aucune attention à ces soi-disant bavures pourvu que les résultats aient été concluants.

— Désolé de vous décevoir, monsieur Harvey, mais je ne sais absolument pas de quoi vous voulez parler. J'ai examiné ces programmes en toute bonne foi, ne cherchant que des indices pour progresser dans mon enquête. Et je vous ferai remarquer encore une fois que cette enquête a finalement abouti.

Harvey poussa un léger soupir, puis sa décision tomba sans appel.

— Notre contrat est dès lors terminé, et vous devrez quitter les lieux.

Il consulta sa montre.

— Vous avez trente minutes pour le faire. Dans ce genre de situation, nous n'en offrons que quinze. Mais étant donné la qualité de vos services, considérez cela comme une prime de consolation.

J'appréciai la remarque d'un sourire.

— Je laisse à monsieur Johnson le soin de discuter des détails de la prime, mais je vous remercie quand même pour ce petit bonus. Si vous permettez...dis-je en me levant.

Harvey m'arrêta d'un geste.

— Je vous prierais d'attendre l'arrivée de monsieur Beauchamp, notre responsable de la sécurité. Il vous escortera jusqu'à votre sortie de l'édifice. Il vous est naturellement interdit de toucher à un seul terminal et de vous approcher de l'ordinateur.

J'attendis patiemment dans mon fauteuil pendant qu'Harvey contactait Beauchamp par téléphone.

— Permettez alors que j'appelle monsieur Atkins afin qu'il vienne reprendre le matériel entreposé dans mon bureau.

Harvey se montra très ferme.

— Désolé, mais monsieur Atkins peut très bien prendre livraison du matériel sans votre présence. Un seul d'entre vous ne pourra être admis dans nos bureaux à la fois. Monsieur Atkins et vous possédez deux spécialités complémentaires, qui peuvent donner des résultats explosifs.

Il sourit avec compréhension.

— Je comprends que vous pourriez être pris d'une rage soudaine, car vous devez considérer mon geste comme une injustice. Mais tout cela est entièrement de votre faute. Et l'expérience m'a enseigné qu'il est tout à fait déraisonnable de courir des risques inutiles.

Voilà bien la seule chose sensée qu'il se permettait de dire depuis le début de notre entretien. J'étais absolument furieux, mais non habité de tendances suicidaires. Un consultant en sécurité, qui aurait bousillé l'ordinateur de son client, aurait par la suite autant de chances de se trouver de l'emploi qu'un postulant aux Postes britanniques ayant commis un attentat contre la Reine d'Angleterre. Harvey le savait très bien: qui n'avait pas entendu parler d'employés licenciés sabotant avant de partir le système informatique ou encore y insérant des «bombes logicielles» à retardement pouvant causer des dégats irréparables quelques mois, voire quelques années après leur départ?

Nous avons attendu Beauchamp en silence. Je n'étais pas d'humeur à plaisanter. Me priver d'un bonus substantiel après avoir fourni tant d'efforts, cela me mettait de fort mauvaise humeur. Le motif invoqué pouvait être sérieux en temps normal, mais Fenders ne m'avait-il pas clairement laissé entendre qu'il ne s'embarrasserait pas de détails. Seuls comptaient les résultats. Et la marchandise avait été livrée.

On annonça l'arrivée de Beauchamp sur la ligne interne et je m'apprêtai à partir. Homme du monde, Harvey me raccompagna jusqu'à la porte.

— Comment allez-vous expliquer la situation à monsieur Johnson? demanda-t-il. Simple curiosité de ma part.

— Qu'un prétexte futile a été invoqué pour mettre un terme à notre accord. Vous serez poursuivi pour bris de contrat, tout simplement. Avant que je parte, voudriez-vous satisfaire ma propre curiosité?

Il sembla choqué.

— Ce Langley, par qui a-t-il été engagé? Par vous?

Il ne répondit pas à ma question, mais me dit plutôt:

— Prenez cela comme une dernière prime, monsieur Bourque: certains membres du conseil n'étaient même pas au courant des activités réelles de la compagnie.

Je commençais à comprendre.

— Changerez-vous de direction?

— Peut-être, dit-il sans se compromettre.

— Merci pour cette prime supplémentaire. Rien à voir avec les soixante-quinze mille dollars...mais il n'y a pas de petits profits.

Harvey ne répondit que d'un sourire et il me remit entre les mains de Beauchamp. Homme prudent, ce dernier avait requis les services d'un acolyte aux larges épaules.

Il me fut interdit de communiquer avec quiconque à l'intérieur de l'édifice et je ne pus faire mes adieux ni à Yves ni à Lucie Riopelle. Quant à Annie, elle n'avait pas encore commencé son quart de travail. Je me promettais bien de les revoir avant de m'en retourner, ne serait-ce que pour leur remettre le gadget de la voix synthétique. J'appelai Anthony de mon bureau et l'informai des derniers développements.

— Le contrat vient de se terminer à l'instant, dis-je. J'ai l'impression que nous sommes tombés en pleine séance de règlements de comptes entre actionnaires. À mon avis, les compétiteurs auxquels nous étions confrontés étaient à la solde de certains membres du conseil qui se doutaient d'activités échappant à leur contrôle.

— On voit de tout dans ce métier, répondit philosophiquement Anthony. Et ce Langley?

— Mon idée est qu'il a été engagé par ces mêmes individus.

— Ces gens ne se privent de rien; cela a dû leur coûter une petite fortune.

— Faut croire que ça en valait la peine. Au fait, il nous est interdit d'être tous deux à la Transit en même temps. Je ne pourrai te donner un coup de main pour embarquer le matériel.

— Aucune importance! Il me faut d'abord louer une camionnette. Je ne serai donc en mesure de récupérer le matériel que vers la fin de l'après-midi. T'envoles-tu pour New York? J'ai entendu dire que Buddy entendait te mettre sur cette affaire de la Save Bank.

— Pour l'instant, j'ai l'intention de prendre quelques jours de repos à Montréal, ensuite nous verrons.

— Désires-tu une protection supplémentaire?

— Inutile maintenant, tu peux rappeler les amis.

Je rassemblai tranquillement mes documents sous l'oeil attentif de Beauchamp qui tenait à les inspecter un à un avant que je les dépose dans mon attaché-case, je débranchai ensuite le micro-ordinateur afin de l'insérer dans sa valise. Tout en m'occupant à ces activités, je repensai à Harvey. On devait admettre qu'il était expert dans l'art du coup fourré. Il s'était détaché à temps de Fenders, puis maintenant il lui succédait.

Voilà comment je voyais les choses: Fenders devait tenir la Transit bien en main, avec l'aide de l'actionnaire majoritaire, la M.B.R. de Détroit, grande spécialiste du blanchissage de capitaux. Je comprenais mal que les autres actionnaires ne puissent pas, eux aussi, être dans le coup, mais ils avaient dû fixer certaines limites. Se doutant que Fenders outrepassait leurs directives, mais se retrouvant minoritaires au conseil, ils avaient décidé d'employer les grands moyens.

Ils avaient piraté leur propre compagnie, peut-être tout simplement pour convaincre, preuves à l'appui, les actionnaires hésitants ou encore pour rendre les administrateurs nerveux à cause des fuites et provoquer la chute de Fenders devant tant d'incompétence.

Harvey devait avoir senti que le vent tournait et il s'était appliqué à poignarder Fenders dans le dos. Tel devait être le scénario, avec Harvey dans le rôle de Brutus. En échange de ses services, on lui avait offert la présidence.

Nul doute que la Monnaies Transit International devait rapporter des profits colossaux pour que ses actionnaires fassent preuve d'autant d'imagination.

Fenders déposé, la Data Sécurity devait être écartée. L'enquête n'avait plus sa raison d'être puisque les actionnaires contrôlaient eux-mêmes le robinet des fuites. On avait trouvé l'excuse appropriée pour mettre fin à mon contrat: j'avais eu accès à des renseignements strictement confidentiels. Tout se tenait, sauf qu'il était ridicule, pour la Transit, de ne pas verser la prime. Elle représentait soixante-quinze mille dollars. Cinquante mille pour moi, vingt-cinq mille pour Buddy. Quand on songeait à ce que l'opération Langley avait dû leur coûter, sans parler du partage, cela représentait une misère. Tout à fait ridicule et dangereux!

J'étais au fait de toutes leurs mesures de sécurité. Alors pourquoi se mettre la Data à dos? Ce n'était pas du tout dans mes intentions d'en profiter, je réprouvais ce genre de pratique. Mais on pouvait être assuré que Buddy, lui, y penserait.

— La demi-heure est presque terminée, dit Beauchamp. Aurez-vous bientôt terminé?

— Je descends. Pourriez-vous m'appeler un taxi?

— Il vous attend en bas.

— Merci.

Je saisis mon attaché-case d'une main, ma valise-ordinateur de l'autre et je me dirigeai vers l'ascenseur, toujours escorté par Beauchamp et son acolyte. En débouchant dans le hall, je remarquai que mes deux anges gardiens avaient disparu. Peut-être étaient-ils déjà en route pour New York. Beauchamp me demanda ma carte d'identification magnétique et l'empocha sans commentaire.

Je montai dans le taxi et installai mes deux valises à mes côtés, sur la banquette arrière. Je remarquai le confort de la voiture. Le taxi s'engagea dans une petite rue avant de prendre la direction de l'hôtel.

— Belle journée, dit le chauffeur.

Il s'arrêta à un stop. Les portières s'ouvrirent brusquement et deux hommes s'engouffrèrent dans la voiture. J'étais coincé entre un individu à l'allure sinistre et mes deux valises empilées contre la portière de gauche. Le taxi redémarra en douceur et obliqua vers l'ouest.

— Heureux de vous revoir, dit Langley.

XI

Langley

Il s'installa confortablement, en dégageant les pans de son veston, comme s'il se préparait pour un long voyage. Le chauffeur et son acolyte, assis à l'avant, ne me prêtaient aucune attention. Je ne voyais d'eux que leurs nuques épaisses qui m'obstruaient la vue.

— Vous arrivez en retard, Langley, je ne suis plus sur ce contrat.

— Nous sommes informés de tout ce qui se passe à la Transit, répondit calmement Langley, dont votre bris de contrat. Nous nous dirigeons vers un endroit où nous serons à l'aise pour en discuter.

— N'êtes-vous donc pas capable de conduire les affaires de façon civilisée comme tout le monde? Vous n'aviez qu'à téléphoner pour prendre rendez-vous.

Il eut un sourire amical, sans plus, comme ces boxeurs avant de monter dans le ring.

— Nous vous avions averti de notre façon de procéder, monsieur Bourque. Vous n'avez aucunement tenu compte de nos avertissements. Remarquez, je ne puis que vous féliciter de la manière dont vous nous avez coupé l'herbe sous les pieds, que ce soit à l'hôtel ou en vous barricadant à la Transit.

Son sourire s'élargit, mais la chaleur n'y était toujours pas. Il ne portait plus ses lunettes, ce qui révélait un regard dur, que contredisait son allure universitaire, avec son veston de tweed foncé et ses cheveux allongés sur la nuque.

— Oui, répéta-t-il, nous vous avions sous-estimé.

— J'en suis très touché. Maintenant reconduisez-moi, je vous prie, à mon hôtel afin que je puisse prendre mon avion dès ce soir.

— Votre avion décolle à 21 heures, de l'aéroport de Dorval. Nous avons effectué la réservation à votre place, au cas où vous auriez eu des trous de mémoire. Seulement, il y a certaines choses dont nous aimerions discuter d'abord.

— Alors, arrêtez cette voiture et discutons-en.

Nous roulions vers l'ouest, nous dirigeant vers une bretelle donnant accès à la voie surélevée. Il restait un feu de circulation à franchir et celui-ci tourna au rouge. La voiture commençait à freiner doucement. Je ne savais pas quelle était notre destination, mais cela m'était tout à fait égal. Tout ce que je souhaitais, c'était sortir de cette voiture.

— Nous discuterons là-bas, dit-il, je vous assure que c'est un endroit très paisible, très correct pour une discussion entre gens raisonnables.

La voiture s'était arrêtée derrière une camionnette et, un peu plus loin, je distinguais nettement la bretelle qui menait à l'autoroute.

— J'ai une certaine difficulté à vous considérer comme raisonnable, Langley.

Je saisis ma mallette et la lui balançai en plein visage. Il releva le coude pour se protéger et encaisser le coup. Déjà son acolyte se retournait et allongeait le bras. Mais j'étais du côté opposé, derrière le siège du chauffeur, et il dut se pencher pour tenter de m'atteindre. Je réussis à déverrouiller la portière, qui s'ouvrit d'une pression du coude, mais le micro-ordinateur, posé à mes côtés sur la banquette, gênait ma fuite. J'étais à moitié sorti quand l'acolyte m'agrippa par un pan de mon veston. Celui-ci malheureusement résista et Langley eut le temps de me rattraper et de me retenir solidement.

Je fus ramené brutalement vers l'arrière et le micro-ordinateur s'écrasa lourdement sur l'asphalte dans un bruit de plastique brisé. Le chauffeur contourna la camionnette en montant sur le trottoir et emprunta rapidement la voie d'accès à l'autoroute. De ses deux mains, Langley me plaqua durement contre le siège pendant que son acolyte refermait la portière. J'avais de la difficulté à respirer tellement l'étreinte était solide.

— Ne recommencez pas ce genre de chose, dit-il d'une voix sourde, cela pourrait aller vraiment mal pour vous. Vous m'avez compris?

— J'ai compris, Langley. Cessez de m'enfoncer dans la banquette si vous ne voulez pas que je ressorte par le coffre arrière.

Il accentua au contraire sa pression et je commençais à suffoquer. Il était penché au-dessus de moi, et son regard me mettait mal à l'aise. J'avais l'impression qu'il pensait à autre chose tout en m'étranglant.

— Vous savez, Langley, réussis-je à articuler, je crois que je vous préfère avec vos lunettes.

Il sourit amicalement.

— C'est ce que me dit toujours ma femme, mais les verres de contact sont tellement plus pratiques. Surtout face à une mallette...

Il se retira en me relâchant doucement. Ses yeux avaient perdu de leur fixité et me détaillaient. Il fit un signe à l'acolyte, qui nous observait depuis un moment, et celui-ci se détourna et ne nous porta plus attention. Je pus finalement reprendre mon souffle. La voiture roulait à sa vitesse de croisière, sur l'autoroute, en direction nord.

— Dommage pour votre ordinateur, dit Langley.

— Je suis assuré, dis-je en réajustant ma cravate. Où

me conduisez-vous?

— Dans un endroit paisible où nous pourrons discuter, vous le découvrirez bien assez tôt. D'ici là, restez tranquille. Je ne voudrais pas utiliser de moyens expéditifs pour vous calmer. Vous m'avez compris?

— Je vous répète que je suis viré. Les histoires de la Transit et de ses luttes entre actionnaires ne m'intéressent plus.

— Luttes entre actionnaires?

Il sourit franchement

— Votre problème à vous, les *cracks* de l'ordinateur, c'est que vous vous méfiez de la simplicité comme de la peste. Vous avez vraiment cru à ce qu'Harvey vous a raconté? Vous me faites pitié, mon vieux.

— Vous ne travaillez donc pas pour un groupe d'actionnaires de la Monnaies Transit?

— Pour ces abrutis? Vous délirez, monsieur Bourque.

— Mais alors, qui est votre client?

— Vous croyez vraiment que des associés dans une affaire aussi délicate s'espionnent mutuellement.

— Dans ma profession, le normal, vous savez...

— ...Vous vous en défiez plus qu'autre chose. Oui, je comprends.

Il s'appuya contre la portière et m'offrit une cigarette. Il tira une longue bouffée, puis me regarda d'un air narquois.

— Comme quoi tout le monde peut faire des erreurs, n'est-ce pas? Moi le premier en vous sous-estimant, vous par la suite en croyant ces bobards et en renvoyant vos gardes du corps. Et vous voici dans cette voiture.

— Pour une discussion agréable, m'avez-vous assuré. Alors, votre client?

Il se contenta de sourire, puis il se détourna pour admirer le décor. La voiture traversait le pont qui enjambe la rivière des Prairies et poursuivait sa route vers le Nord. Langley se retourna et me détailla un moment avec une certaine curiosité.

— Nous avons entendu parler de certains programmes que vous auriez consultés. Mais surtout d'une drôle d'indiscrétion que vous auriez commise. En plein milieu du hall de la Transit, vous auriez affirmé à une certaine madame Riopelle, et je cite: «Cela va de la fraude fiscale au blanchissage de capitaux...difficile d'être plus illégal qu'ici.»

— Vous aviez mis le hall sous écoute?

— Je suis surtout étonné d'une telle faute, tout particulièrement de la part d'un professionnel. D'abord, vous nous coupez l'herbe sous les pieds, ensuite vous commettez ce genre d'erreur. C'est très curieux. Peutêtre les beaux yeux de madame Riopelle vous auraient-ils fait perdre tous vos moyens?

Je m'enfonçai un peu plus dans mon siège. Je pressentais soudainement les nombreuses difficultés à venir. Langley serait curieux de savoir ce que j'avais pu découvrir et il m'amenait en balade dans un coin isolé afin d'avoir une conversation sérieuse. La voiture traversa un nouveau pont, celui enjambant la rivière des Milles-Îles, et elle s'engagea dans la première sortie.

Le chauffeur prit une petite route longeant le bord de l'eau et il remonta la rivière. Je n'avais pas du tout le coeur à apprécier le paysage, où se découpaient des centaines de petites îles boisées au milieu d'une eau scintillante. Après quelques kilomètres, la voiture s'engagea sur un petit chemin de terre menant à la berge, cachée derrière une rangée d'arbres. La voiture s'immobilisa à deux mètres à peine du bord de l'eau, au centre d'une crique.

Le chauffeur sortit et m'invita à sortir, un automatique à la main. Il m'escorta jusqu'à une grosse pierre sur laquelle il me fit asseoir. Il y avait, amarrée à la berge, une petite barque que les vagues venaient frapper avec de lents clapotis.

Langley vint se dresser devant moi, encadré de ses deux acolytes. Le chauffeur avait conservé son revolver qu'il laissait pendre au bout de son bras.

— Appréciez-vous le décor? demanda Langley.

J'aurais voulu répondre, mais j'avais la gorge trop sèche. Je ne fis que hocher la tête et me retournai pour regarder les îles, toutes proches. J'avais déjà vécu des moments difficiles, mais celui-ci dépassait la mesure. Le bord de l'eau, pourtant si calme, avait quelque chose de terrorisant. La journée était ensoleillée, le vent bruissait, et les vagues continuaient à clapoter sans se soucier de la terreur qui commençait à m'envahir. C'était stupide, mais je trouvais cela parfaitement injuste.

Langley s'approcha et s'accroupit.

— Je comprends, dit-il d'un ton très compréhensif, j'ai déjà été dans une situation semblable. Très impressionnant, n'est-ce pas? Et très réel. La nuit, le long des docks sombres, tout ça c'est du cinéma. Mais ici, dans le soleil d'une belle journée de printemps, au milieu des petites îles boisées, peut-être un papillon qui s'envole... Oui, on le sent vraiment.

Il se releva et fit quelques pas le long de la berge.

— J'ai choisi cet endroit exprès pour vous, dit-il en jetant un regard de satisfaction autour de lui. Tout est si calme. Le fond de cette rivière doit être un lieu très paisible, je suis certain que vous apprécierez.

— Vous êtes un poète dans votre genre, Langley.

Il sourit, comme flatté du compliment et apprécia lui-même le décor.

— Il y a une façon d'éviter ce dénouement, dit-il en se retournant. Êtes-vous enfin prêt à discuter sérieusement?

— D'accord.

J'étais prêt à dire n'importe quoi afin d'éviter une

balade dans cette barque.

— Excellent, voilà qui est raisonnable.

Il s'approcha.

— Expliquez-moi d'abord ce que vous avez découvert à la Monnaies Transit.

— Très simple, les programmes ont été trafiqués afin de générer des profits ou des pertes imaginaires sur les opérations de change. Tous les clients sont reliés par réseau et les opérations s'effectuent automatiquement, sans aucune intervention. Les preuves de certaines transactions sont effacées de la mémoire et bien que je n'aie pu vérifier, je suppose qu'automatiquement toute la comptabilité est modifiée en conséquence.

Langley hocha lentement la tête, comme pour féliciter un élève particulièrement doué.

— Et qu'en déduisez-vous?

— La Monnaies Transit doit être greffée à une multitude de sociétés qui s'en servent comme pipeline pour sortir et rentrer des capitaux d'Amérique, ainsi que pour effectuer des investissements discrets au Canada.

— Quelle a été votre réaction en découvrant le pot aux roses?

Je haussai les épaules.

— Que j'avais affaire à un client particulièrement astucieux.

Il y eut une courte période de silence.

— C'est tout? demanda Langley.

— Je me suis alors remis au travail afin d'isoler cette fuite dans les télécommunications. J'étais payé pour ça.

— Vous n'avez pas songé à en profiter?

— Pour faire chanter la Transit? Vous êtes fou, j'ai ma réputation et je gagne très bien ma vie dans la sécurité informatique. Pourquoi voudriez-vous que je me lance dans ce type d'affaire? C'est ridicule.

— Heureux de vous l'entendre dire. L'honnêteté est une qualité qui se perd de nos jours. Qui d'autre est au courant?

C'était une question délicate. Je ne tenais pas du tout à apparaître comme le seul témoin gênant de l'affaire. J'avais besoin d'une assurance, qui paraisse plausible.

— La Data Security a fait effectuer une enquête sur la Transit. Il est apparu que la M.B.R. en est le plus important actionnaire. Cette compagnie est soupçonnée, par plusieurs, de se livrer au blanchissage de capitaux et elle est même l'objet d'une enquête de la part du conseil du Trésor américain. La conclusion coule de source. Tout le monde se doute que la Transit est mêlée à ce type d'activités.

— Mais vous seul possédez des détails. Pour tout le monde, cela est du domaine des conjectures.

Il n'y avait rien à répondre à cela. Il était inutile d'argumenter sur des évidences et perdre ainsi mon mince pouvoir de conviction.

— Bien, prenons la question sous un autre angle. Vous avez été frustré de la prime, une jolie somme à ce que l'on raconte. Comment comptez-vous la récupérer?

— Buddy Johnson s'en occupera, cela fait partie de son travail. Je ne discute jamais de ces questions avec nos clients.

— Et comment pensez-vous qu'il s'y prendra?

— Les menaces sont inutiles. Un simple recours en justice peut suffire. Le montant de la prime était inscrit sur le contrat. Je doute que la Transit veuille que cette histoire soit rendue publique.

— Très simple, en effet.

Langley se retourna pour s'abîmer dans la contemplation de la rivière. Je voyais son dos massif, avec ses mains croisées et ses paumes ouvertes. Les deux acolytes me fixaient sans rien dire, déployés de chaque côté. Cette pause dura un bon cinq minutes et ma gorge devenait de plus en plus sèche. J'essayais de chasser ma peur en me raisonnant, mais je n'y parvenais pas. Je n'arrivais pas à imaginer une manoeuvre de diversion, et de toute façon j'avais les jambes coulées dans le plomb.

Langley finit par se retourner et il se dirigea à pas lents vers sa voiture, sans daigner me jeter un simple regard, comme si je n'existais tout simplement plus. Les deux acolytes le suivaient de l'oeil, l'air interrogateur. Il s'arrêta devant la portière, la tapota quelques instants, puis l'ouvrit en me faisant signe:

— Venez, nous allons vous faire rencontrer quelqu'un.

Je me relevai lentement et revins à la voiture. Je m'assis lourdement à l'arrière, aux côtés de Langley, pendant que les deux acolytes prenaient place à l'avant. La voiture s'engagea sur la route et reprit le chemin en sens inverse, en direction de l'autoroute.

— Quand j'étais gosse, dit Langley, j'allais à la pêche dans un coin qui ressemblait à celui-ci. Une rivière, quelques îles boisées... Je m'y rendais en bicyclette. C'était le bon temps.

Nous fîmes le reste du chemin en silence.

Arrivés au centre-ville, nous avons pris la direction plein sud, jusqu'au fleuve que nous avons longé jusque dans le quartier du Vieux Montréal. Je finissais de récupérer et la fenêtre ouverte — Langley ne s'y étant pas objecté — m'avait fait du bien.

Nous avons longé les docks et la voiture s'est arrêtée devant un bâtiment long et bas, pourvu de larges fenêtres. Ce n'est qu'en descendant de la voiture que je reconnus les lieux. De fait, je n'en fus pas trop surpris. C'était l'évidence même quand on y réfléchissait à froid.

Nous étions devant l'atelier d'Annie!

Les trois hommes m'entourèrent et me conduisirent à l'étage. Les marches craquèrent légèrement sous notre poids. Le palier n'était éclairé que d'une lumière poussiéreuse. Langley ouvrit la porte et il pénétra dans l'atelier, nous laissant dans le corridor. J'attendis le dos au mur.

Il revint quelques minutes plus tard et me fit entrer. Les deux acolytes attendirent sur le palier et je suivis Langley dans le fond de l'atelier. Les lumières étaient éteintes et les fenêtres, percées dans la partie supérieure des murs, avaient peine à éclairer la salle. Les voitures-sculptures s'alignaient entre les colonnes et une aile de la voiture-macho luisait dans un carré de lumière. Langley contourna la voiture à lunettes qui trônait toujours dans le fond, entouré de bouteilles vides et renversées. L'endroit était désert et même le rose satiné des voitures avait l'air sale.

— Par ici, dit Langley.

Il souleva une tenture et me fit pénétrer dans une pièce adjacente qui devait servir de cuisinette à Annie. Il y avait quelques appareils électro-ménagers, une table et des chaises.

Jim était assis devant une bouteille de scotch et deux verres. Une mallette occupait le coin de la table.

— Un petit verre, monsieur Bourque?

— Pas de refus, dis-je en m'asseyant.

Le liquide brûlant me fit du bien. Jim fit un signe à Langley qui s'éclipsa. Puis il me dévisagea un moment avec sympathie.

— Les balades en compagnie de Langley ne sont pas particulièrement des parties de plaisir, n'est-ce pas?

— Il possède le sens de la mise en scène.

— Oui, dit Jim, il est très efficace dans son domaine.

Il sourit et emplit à nouveau les verres. Je le bus aussi rapidement que le premier, mais refusai le suivant. Jim s'en versa un troisième et se cala sur sa chaise.

— Bien, dit-il, maintenant parlons affaire. Langley m'a fait part de votre désir de coopérer. Selon lui, vous avez été tout à fait franc lors de votre discussion et semblez admettre que vous êtes mêlé à une histoire très délicate. Vous êtes d'accord?

Je hochai la tête. Je n'avais aucun atout en main.

— Ce tête à tête avec Langley tenait à deux objectifs, dit Jim. D'abord connaître ce que vous aviez découvert, ensuite s'assurer de votre coopération. Nous tenions à vous faire comprendre, sans équivoque, comment nous envisageons la situation.

Il déposa son verre et approcha la mallette devant lui. Il pianota quelques mesures sur le dessus, puis reprit:

— Je suis ici pour parachever votre éducation.

Il ouvrit la mallette et la tourna de mon côté. Elle était bourrée de liasses de dollars en coupures de cent.

— Voici votre prime, monsieur Bourque, cent cinquante mille dollars US. Nous l'avons doublée en raison des circonstances. Une première somme de soixante-quinze mille dollars, conformément à votre entente avec la Transit, et une somme additionnelle du même montant pour vous aider à oublier ce que vous avez pu voir dans cet ordinateur. Mais il y a une condition à ce marché.

J'attendis.

— Vous oubliez tout ce que vous avez vu ou entendu à la Monnaies transit International et vous la bouclez. Refrénez votre curiosité naturelle, monsieur Bourque, et ne venez jamais mettre votre nez dans cette affaire. Si vous parlez un peu trop, Langley s'occupera personnellement de vous. C'est clair?

— Pas tout à fait! dit Anthony en pénétrant vivement dans la pièce, revolver au poing.

Il contourna rapidement la table pour se placer de biais à Jim, en pointant son arme. Jim sursauta, puis retira lentement les mains de la mallette.

— Les mains restent sur la table, dit sèchement Anthony. Vous vous levez doucement quand je vous le dirai.

— Voilà une bonne surprise, Anthony.

— Heureux de te faire plaisir. Maintenant, levez-vous lentement et placez vos mains sur le mur.

— Écoutez, Atkins, cette histoire est terminée. Le contrat est brisé et monsieur Bourque a accepté ma proposition.

— Je n'ai rien accepté du tout, dis-je.

— Exact, dit Anthony en agitant le canon de son arme. Les deux mains contre le mur, très très doucement.

Jim se leva à contrecoeur, l'air excédé.

— Vous ne savez pas à qui vous avez affaire, Atkins, ni ce qui vous attend dehors.

Il se leva lentement, poussa un peu la chaise du pied et se retourna vers le mur. Mais il continua le mouvement et, pivotant rapidement sur lui-même, se retrouva face à Anthony. Le poing frappa immédiatement à la hauteur du cou. Anthony para du bras et le frappa à son tour. Jim bloqua d'un geste automatique mais l'ouverture était créée; il reçut la crosse du colt d'Anthony en plein visage et tomba en laissant échapper un cri rauque.

Anthony le fouilla rapidement. Il mit d'abord la main sur une arme automatique qu'il enfouit dans sa poche puis consulta les pièces d'identité trouvées dans le portefeuille.

— Ce petit rigolo se nomme Jim McCoy, dit Anthony; lieu de résidence: Calgary.

— Rien d'autre comme renseignement?

— Rien, dit Anthony en laissant tomber les papiers par terre. Essaie de trouver un bout de corde dans cet atelier, nous le ligoterons après un tuyau.

Je trouvai de la corde dans le matériel d'Annie et nous l'avons laissé près d'un tuyau d'eau chaude. Anthony s'épousseta du revers de la main.

— Heureux de te retrouver en bonne santé.

— Merci. Si tu m'expliquais, Anthony.

— Bien sûr, dit celui-ci en s'emparant de la bouteille. Allons prendre un verre à côté, loin des oreilles indiscrètes.

Je le suivis dans l'atelier. Il s'arrêta devant la voiture à lunettes, l'admira un moment, puis ouvrit la portière pour s'asseoir sur le siège avant. Je dénichai deux verres de plastique que je remplis d'alcool.

— Seulement pour nous rafraîchir, dis-je, car des «amis» nous attendent à l'extérieur.

— Je sais, dit-il, j'ai barricadé les portes de l'intérieur. Ça nous donne un léger répit, le temps de trouver un plan pour sortir d'ici.

Il prit une gorgée, puis s'expliqua.

— J'ai reçu un téléphone à la Transit cet après-midi alors que je finissais de transporter le matériel à la camionnette. C'était de la part d'une certaine Annie Mail qui s'est présentée comme faisant partie du groupe des compétiteurs. Elle a dévoilé les noms de Langley, Buddy Johnson et certains noms bien connus du milieu, dont Al Passey, afin de prouver son identité. Elle m'a dit que ses employeurs utilisaient des moyens qu'elle réprouvait totalement et que ceux-ci te feraient une proposition le revolver sur la tempe, ce qui, admettons-le, n'est jamais une position de force dans une négociation. Je vois qu'elle ne s'était pas trompée. Sur ses indications, je me suis embusqué au deuxième étage, d'où je t'ai vu arriver escorté de trois hommes. Quand je les ai vus ressortir, je suis entré et j'ai pu suivre l'essentiel de votre conversation.

Il me tendit un bout de papier chiffonné.

— Elle n'a pas pris le temps de m'expliquer tout en détail et m'a simplement dit de faire vite. Tu dois la rappeler à ce numéro. À ce qu'elle m'a dit, c'est un bar de l'aéroport. Elle s'envole ce soir pour l'Europe.

Je saisis le papier et me dirigeai vers le téléphone. Je composai le numéro et demandai Annie Mail. J'entendais nettement le brouhaha de l'aéroport, puis Annie vint en ligne.

— Annie Mail.

— Bonjour, Annie, ici Alain Bourque. Merci pour ce coup de fil à Anthony.

— Je suis heureuse qu'il vous ait rejoint, dit-elle avec un léger soupir. Où êtes-vous?

— Dans votre atelier, en compagnie d'Anthony. Si vous m'expliquiez un peu la situation, Annie.

— Avouez d'abord que je vous ai bien manoeuvré, non?

— Vous m'avez complètement enfoncé, Annie. On peut le qualifier à juste titre de travail d'artiste.

— Merci.

Son ton redevint soudainement sérieux.

— Écoutez, j'ai été recrutée par une organisaton dont je ne connaissais pas la façon de traiter les affaires. Ces gens ne sont vraiment pas recommandables et ils ne respectent pas l'éthique de la profession. Vous ne devez surtout pas croire aux termes du marché qu'ils vont vous proposer. Ne croyez ni Jim, ni ce psychopathe de Langley. Ils ne connaissent qu'une façon de régler les problèmes, c'est de les immerger. C'est ce qu'ils feront avec vous.

Il y eut une pause.

— Ce qui serait dommage pour un critique d'art aussi éclairé.

— Ils viennent tout juste de m'offrir cent cinquante mille dollars.

— Ce n'est que pour fermer le dossier à la Data Security. Ils s'occuperont de vous plus tard, quand plus rien ne vous reliera à l'affaire. En fait, ce sera dans un avenir rapproché, si possible alors que vous serez sur un autre contrat afin de brouiller les traces. Ils ne vous ont menacé, puis offert de l'argent que pour que vous vous teniez tranquille jusqu'au moment où ils trouveront la solution définitive au problème que vous représentez.

— Merci pour ces renseignements, Annie.

— Qu'allez-vous faire?

— D'abord sortir d'ici, puis j'aviserai.

— Pourquoi ne pas prendre de longues vacances? Prenez l'argent qu'ils vous offrent et venez nous rejoindre en Italie. Yves et moi partons dans quelques heures.

— Yves part avec vous?

— Il n'a eu que le temps de remplir sa valise de lunettes et m'a suivie à l'aéroport. C'est que je suis plutôt pressée de quitter le pays. Si vous vous décidez, laissez un message à la Villa Amori, à Capri.

— Yves était-il sur le coup avec vous?

— Pas le moins du monde, c'est un trop chic garçon pour faire ce métier. Les nouveaux actionnaires ont décidé de faire maison nette. Yves a été remercié ce matin même. Mais ne vous en faites pas pour lui, il s'en tire avec une forte prime de séparation.

— De nouveaux actionnaires ont pris le contrôle de la Transit, avez-vous dit?

— Je ne connais pas les détails, dit Annie, mais c'est exact.

— Connaissez-vous ces nouveaux actionnaires?

— Aucune espèce d'idée, répondit-elle. Mon travail consistait à pirater cet ordinateur, un point c'est tout. Pour le compte de qui, je n'en sais rien.

— Eh bien, merci pour ces renseignements, Annie. Pour Capri, j'y penserai.

— Une seconde, Yves a deux mots à vous dire.

Il y eut un court conciliabule, puis Yves vint en ligne.

— Bonjours, Alain, je euh…veux te dire de faire attention. Annie m'a expliqué la situation et cela ne semble pas très rose. Je suis désolé de ne pouvoir t'aider mais je possède par contre un renseignement qui selon

Annie pourrait t'être utile.

— J'écoute.

— Voilà: Harvey fait de nombreux voyages à Toronto où il descend à chaque fois au Grass's Hotel, petit établissement très chic. Il transporte toujours avec lui un micro-ordinateur qu'il branche sur une ligne téléphonique afin de consulter l'ordinateur de la Monnaies Transit.

— Ceci est un renseignement qui vaut son pesant d'or, merci Yves, j'apprécie beaucoup.

— Alors, peut-être à Capri.

Je coupai et revins vers Anthony qui surveillait la rue d'une fenêtre.

— Alors, la situation? demanda-t-il en se retournant.

Je lui résumai ma conversation avec Annie et Anthony fit la grimace.

— Difficile d'être plus mauvais, dit-il d'un air sombre. Tu es dans de beaux draps. Vraiment, le métier devient de plus en plus difficile.

— Le plus urgent reste de sortir d'ici. Aurais-tu une idée?

Anthony regarda une nouvelle fois par la fenêtre.

— Ce Langley connaît son métier. Même s'il n'a aucune raison de s'inquiéter, il n'a quand même pris aucune chance. Un homme est de garde à la porte de derrière et la voiture stationne de biais avec vue sur l'entrée et la porte de garage qui donne sur la rue transversale.

— J'y songe, dis-je soudainement alarmé, il me faut prévenir Lucie Riopelle.

— Celle qui est venue te visiter, hier soir?

— C'est bien elle. Langley m'a affirmé que c'est après avoir capté une de nos conversations qu'il avait décidé de revenir à la charge. S'il connaît bien son métier, il ne tardera pas à lui rendre visite.

Je laissai Anthony à son poste d'observation et

revins vers le téléphone. Il fallait qu'elle se mette en sécurité sans plus tarder. Je composai fébrilement le numéro de la Transit où l'on me répondit qu'elle était en conférence et ne pouvait recevoir d'appel. Je déclinai mon identité et assurai qu'il s'agissait d'une urgence. Elle vint en ligne quelques minutes plus tard.

— Monsieur Bourque?

— C'est au sujet de notre discussion d'hier soir dans le hall. Vous vous souvenez?

— Oui, précisément, répondit-elle d'une voix inquiète.

— Notre conversation a été captée par des membres d'un groupe qui a piraté votre ordinateur. Ce groupe, qui semble lié à l'un de vos nouveaux actionnaires, a proféré des menaces de mort à mon endroit et je crois que vous êtes en danger.

— En danger? Où êtes-vous, monsieur Bourque?

— Dans l'atelier d'Annie Mail. Écoutez, vous devez quitter cet édifice et vous rendre dans un endroit connu de vous seule. Je vous y rejoindrai. Madame Riopelle, madame Riopelle?

La conversation avait été brutalement coupée. Je sentis monter en moi la panique pendant que je recomposais le numéro.

— On nous a coupés, dis-je, passez-moi madame Riopelle.

— Elle est présentement en conférence avec le président, monsieur, et elle ne tient pas à être dérangée.

— Elle est présentement dans le bureau de monsieur Harvey?

— En conférence, monsieur. Désirez-vous laisser un message?

— Passez-moi son bureau.

— Mais je peux prendre votre message, monsieur.

— Passez-moi son bureau, immédiatement. Je veux parler à sa secrétaire.

— Bien, un moment, dit la téléphoniste avec un soupir.

Il y eut quelques cliquetis, un long silence sur la ligne en attente, puis j'entendis une voix sèche1 au bout du fil.

— Bureau de madame Riopelle, bonjour.

— Je désire lui parler de toute urgence. Je sais qu'elle assiste à une conférence fort importante avec le président, mais c'est un cas tout à fait exceptionnel. Un cas de mortalité subite dans sa famille, vous comprenez.

— Oh! je suis désolée, dit la secrétaire d'une voix navrée, je vais la prévenir immédiatement. Attendez en ligne, je vous prie. Votre nom?

— Alain, son frère aîné. Faites vite, et prévenez-la en personne, je vous prie.

— Un instant.

La ligne fut mise en attente et de longues minutes s'écoulèrent. Anthony surveillait toujours la rue et me jetait de temps en temps un regard interrogateur. Je lui fis un petit signe d'apaisement de la main. La téléphoniste reprit la communication.

— Monsieur Riopelle?

— Je vous écoute.

— La vice-présidente vous fait dire qu'elle est déjà au fait de ce terrible cas de mortalité, et vous remercie de l'attention que vous lui avez portée en téléphonant la nouvelle si rapidement.

— Vice-présidente? Depuis quand est-elle vice-présidente?

— Depuis ce matin, monsieur. Elle a aussi ajouté qu'elle vous conseillait de prendre de longues vacances afin de vous remettre de cette épreuve.

Il y eut un silence au bout du fil.

— Désirez-vous autre chose, monsieur?

— Ça ira, merci.

Je reposai le combiné, songeur. Je m'étais vraiment laissé manoeuvré d'un bout à l'autre dans cette histoire.

D'abord Buddy qui m'avait lancé dans cette fosse aux lions, Harvey qui m'avait jeté à Fenders comme un os à ronger pendant qu'il s'occupait à le poignarder dans le dos, Annie qui avait piraté l'ordinateur joyeusement sans que je songe une seconde à la suspecter, Langley qui s'était permis de me menacer impunément, Jim qui m'avait offert une petite fortune tout en planifiant mon assassinat et, pour finir, Lucie Riopelle qui m'avait joué le jeu de l'éplorée à la seule fin de m'interroger pour le compte de son patron.

Depuis cette rupture avec Chris, je me laissais vraiment aller. Il était temps de reprendre les choses en main. Cette conversation avec Lucie Riopelle avait égratigné un peu plus ma vanité, mais elle avait eu au moins le mérite de clarifier la situation. Tout se mettait en place. Une partie peu ordinaire avait eu lieu à la Transit, dont je n'avais été en fait que l'un des pions.

Je m'étonnais seulement que Fenders ne se soit pas aperçu de la véritable partie qui était en train de se jouer, lui qui avait pourtant l'air d'un vieux renard. Il avait d'abord cru faire face à une opération classique d'espionnage, puis ensuite à un putsch d'actionnaires désireux de le renverser.

Les compétiteurs travaillaient pour ce nouvel actionnaire, dont Annie avait parlé. De toute évidence, celui-ci était basé à Calgary si l'on prenait comme preuve l'emplacement des deux sociétés pirates et le lieu de résidence de Jim.

Ce nouvel actionnaire devait avoir fortement l'intention d'entrer dans le club de la Transit, ce qui, au départ, ne devait pas plaire aux actionnaires d'alors, et surtout Fenders. Ces types de Calgary avaient pris les grands moyens. Ayant piraté l'ordinateur central, ils étaient en possession de renseignements confidentiels et les dirigeants de la Transit ne pouvaient l'ignorer. Ou ils se serreraient un peu les coudes pour leur laisser de la place, ou le groupe de Calgary les faisait sauter.

Harvey devait s'être rangé au bon moment, peut-être même faisait-il équipe dès le départ avec ce nouvel actionnaire, et il en avait récolté la présidence. Pour ce groupe de Calgary, j'étais un élément dangereux qu'il fallait éliminer.

XII

Un superman rose

J e revins vers Anthony, toujours aux aguets à la
fenêtre. Une épaule appuyée au mur, il observait de
biais en direction de la rue transversale. Il paraissait
soucieux et ses doigts s'agitaient sur le rebord de la
fenêtre.

— Les choses commencent à bouger, dit-il. Celui
qui surveillait la sortie arrière vient d'être rappelé et ils se
sont réunis près de la voiture. J'ai vu Langley se servir du
radio-téléphone... Peut-être ont-ils reçu de nouvelles
instructions?

— J'ai idée qu'ils ont été avertis par l'assistante
d'Harvey.

— Eh bien! On peut dire que c'est réussi ton histoire
avec cette femme, grogna Anthony en se retournant. Ça
valait la peine que je me mette en quatre pour te dénicher
ce Château Maucaillou 78 pour votre tête-à-tête.

— Faut croire qu'elle a préféré la vice-présidence de
la Transit à mon baratin sentimental, dis-je d'un ton
dépité.

— Le romantisme se perd, les femmes se lancent de
plus en plus en affaires.

Je répondis je ne me souviens plus trop quoi et
plaquai mon visage contre la vitre afin d'avoir une vue de
côté. J'aperçus Langley et ses deux acolytes discutant

près de la voiture. Langley semblait donner des ordres en montrant l'édifice du doigt.

— Ils se préparent à donner l'assaut, dit Anthony. Ils vont certainement tenter d'investir les deux entrées en même temps.

Comme pour lui donner raison, deux hommes se dirigèrent dans notre direction. L'un s'approcha de l'entrée principale tandis que l'autre entreprit de contourner le bâtiment. Langley ouvrit la portière et s'installa au volant.

— Eh bien! il est temps de réagir, dit Anthony en s'éloignant de la fenêtre. Un garçon intelligent comme toi doit bien avoir un plan.

Je m'appuyai le dos à la fenêtre et détaillai la pièce. Il nous fallait quelque chose de rapide et d'inattendu, propre à les surprendre. La «voiture-macho» brillait doucement sous son carré de lumière et elle semblait nous inviter à une solution musclée. Il est vrai qu'après la balade que Langley m'avait offerte sur le bord de l'eau, il était tentant de le remercier d'une manière qui ne laissait place à aucun malentendu.

— Où est garée la camionnette, Anthony?

— Sur la rue transversale, de biais avec la voiture. Pour l'atteindre, nous devrons nécessairement passer devant eux.

Il se retourna contre la fenêtre et pointa du doigt en direction de la voiture.

— À moins de vingt mètres de Langley.

Je me penchai contre le rebord de la fenêtre. Les deux hommes de main avaient disparu et devaient être déjà dans l'immeuble.

— Nous devons faire vite, conclut Anthony.

— Je vais m'occuper personnellement de ce Langley. Prends soin de la malette pendant que je mets le dispositif de sortie en place.

— Que veux-tu faire? demanda-t-il d'un air intrigué.

— Envoyer Langley à l'hôpital. C'est un endroit très paisible, je suis persuadé qu'il appréciera.

Anthony suivit mon regard, ne parut pas comprendre, puis sourit.

— J'en connais un qui sera étonné, dit-il.

Pendant qu'il allait chercher la mallette au pas de course, je me mis à inspecter la «voiture-macho». Je trouvai les clés dans le coffre à gants. Annie m'avait déjà affirmé que toutes ses voitures-sculptures étaient en état de marche. C'est ce que j'allais vérifier.

Le moteur démarra au quart de tour, tout en produisant une énorme pétarade dans l'atelier. Le silencieux était défectueux mais la mécanique et la direction semblaient en bon ordre. Tout en laissant le moteur rouler, je sortis de la voiture et traversai la pièce en courant afin d'écarter les lourdes tentures de brocart rouge. De larges panneaux gris apparurent, que j'entrepris de remonter en tirant sur une chaîne qui pendait contre le mur. La porte se replia jusqu'au plafond dans un vacarme métallique pendant que des martèlements sourds commençaient à se faire entendre. Les acolytes de Langley avaient commencé à enfoncer les portes.

Anthony revint à toute allure, en agitant la mallette. Il cria pour couvrir les pétarades de la voiture:

— Nous devons faire vite. Les portes commencent déjà à céder.

— Nous y allons. Tu files en bas te mettre en position à la porte du garage. Tu l'ouvres toute grande à mon signal puis tu cours jusqu'à la camionnette. Ne t'occupe pas de Langley, c'est à moi qu'il en veut. Mais reviens vite me chercher avec la camionnette.

Il hocha la tête et s'engouffra dans le couloir. Celui-ci faisait un coude et Anthony disparut rapidement de ma vue. La lumière du jour éclairait le passage par plaques, découvrant une peinture verte et écaillée sur les murs en ciment.

Je revins à la voiture dont j'examinai rapidement la carrosserie. C'était du métal de bonne qualité, de plusieurs millimètres d'épaisseur et dont les ailes musclées vibraient sous les soubresauts du moteur. Le capot remontait en forme de dôme jusqu'au pare-brise, rétréci et juché tout en haut de la structure. Avec les reflets de la lumière, l'auto avait un air éclatant. Le derrière de la voiture, abaissé et modelé en forme de fesses rondes, semblait trépider d'impatience sous les gaz d'échappements.

Le tableau était convaincant. Une belle vision d'apocalypse rose qui surprendait Langley.

Je montai dans la voiture et m'attachai solidement. Le siège n'était pas surélevé et je devais me tenir le buste bien droit pour pouvoir regarder au travers de l'étroit pare-brise. Le point de vue était assez unique, et avec le volant situé à hauteur normale mais qui paraissait très bas, on se serait cru à la barre d'un bateau.

Je manoeuvrai délicatement afin de conduire le véhicule à l'entrée de la première porte, tout en étirant mes jambes au maximum pour avoir une meilleure prise sur les pédales. Enfin en position, je hurlai à Anthony d'ouvrir la porte extérieure. J'entendis cliqueter les chaînes, je comptai cinq secondes, puis j'appuyai à fond sur l'accélérateur.

Je pris le tournant à pleine vitesse et éraflai le mur de béton sur une bonne distance. La voiture sauta durement sur une plaque de métal, accrocha au passage une poubelle qui s'écrasa contre le mur, puis arriva dans l'entrée. Je sortis dans la rue dans un rugissement de silencieux défoncé.

Je dus virer aussitôt afin de m'enligner en droite ligne sur Langley. Le derrière, trop léger, dérapa et percuta contre une voiture en stationnement. Il n'était pas question de freiner de peur de provoquer un dérapage fatal. L'énorme différence de poids entre l'avant et l'arrière rendait la conduite ardue et très aléatoire. Je relevai doucement le pied de l'accélérateur et braquai les roues légèrement sur ma droite.

La «voiture-macho» heurta la boîte d'un camion et ma vitre latérale se fracassa sous l'impact. Il y avait des morceaux de verre partout, mais j'étais enfin revenu au milieu de la rue. Je vis, comme un éclair, Anthony courir devant la voiture de Langley, puis ma proie apparut en plein dans ma mire. Langley tenait le volant de son automobile tout en fixant la scène d'un air ahuri. De voir ce superman rose se ruer dans sa direction devait lui donner un sacré coup. Je poussai l'accélérateur au plancher.

Langley sembla enfin comprendre le but de la manoeuvre et il se précipita contre sa portière. Mais il était trop tard. À travers le reflet de la vitre latérale de son automobile, je pus assister à cette curieuse scène: un colosse rose se ruant sur sa proie! Les deux voitures entrèrent en collision.

Au moment de l'impact, je baissai la tête tout en me protégeant de mes deux bras. Il y eut un bruit sourd de métal, une nuée de morceaux de verre scintillants s'abattirent sur ma tête et je sentis le colosse se dresser sous l'impact. Je fus poussé brutalement vers l'arrière tout en étant retenu à mon siège par la ceinture.

Le bruit des tôles démolies résonna longuement dans mes oreilles avant qu'Anthony apparaisse à mes côtés. Il me détacha de mon siège et m'aida à sortir. J'étais complètement sonné et il dut me soutenir pour me faire marcher. Par-dessus la «voiture-macho» désarticulée, je pouvais voir un capot défoncé et fumant. La portière côté trottoir avait été arrachée et elle était allée heurter un lampadaire.

— Allez, viens, Alain, nous devons partir avant que les autres ne rappliquent.

— Comment est-il, ce salaud?

— Les ambulanciers le ramasseront à la petite

cuillère, dit Anthony en me passant un bras sous l'aisselle. Allez, viens, un petit effort.

Il me transporta jusqu'à la camionnette garée en double file et m'aida à m'installer sur le siège. Il contourna le devant pour reprendre sa place. Je commençais à récupérer et n'avais plus ce bruit de tôles fracassées dans les oreilles. Je regardai par la vitre latérale.

La voiture de Langley avait été emboutie, une aile rose de la «voiture-macho» enfoncée dans une portière. Le tout ressemblait à un plaqué de football immortalisé dans le métal. Langley gisait au sol, près du mur. Il tentait désespérément de se rétablir, mais n'y parvenait pas. Il semblait avoir été sérieusement frappé. Je lui souhaitai un paisible séjour à l'hôpital, en compagnie d'une infirmière bête et méchante.

Anthony embraya et la camionnette démarra brusquement au moment où les deux acolytes débouchaient sur la rue. J'eus une dernière vision du superman rose penché au-dessus de la voiture, comme se reposant après l'effort. Puis Anthony enfila sur une artère à forte circulation.

Anthony me déposa à un restaurant tandis qu'il allait louer une seconde camionnette. La situation n'était guère réjouissante. J'étais embarqué dans une sale histoire, et je ne devais pas trop compter sur Buddy pour m'en sortir.

Que pouvait faire la Data Security pour essayer de trouver un arrangement avec les employeurs de Langley? On ne pouvait me coller des gardes du corps aux basques pendant une éternité. Le coût en serait d'abord prohibitif — du moins c'est ce que se dirait Buddy — et enfin les résultats d'une telle protection seraient tout à fait incertains. Comme il serait difficile de parvenir à un accord avec ces messieurs — et comment être certain qu'ils respecteraient toute entente à l'amiable —, Buddy en arriverait rapidement à la seule conclusion raisonnable: j'étais devenu hors-circuit et je devais, par conséquent, couper tous les ponts avec la Data. La prime de séparation serait sans doute généreuse, et on me conseillerait de disparaître pendant quelques années.

C'était la solution la plus évidente. Mais il en existait une autre. Elle était risquée et demandait des fonds considérables. Mais on pouvait supposer que la prime de cent cinquante mille dollars, que j'avais en ma possession, me suffirait. Et s'il en manquait, je saurais trouver les arguments nécessaires pour convaincre Buddy.

J'allais montrer à ces gens ce qu'était une infiltration en profondeur. Je n'allais pas leur piquer de l'information, j'allais leur piquer leur ordinateur au complet.

J'avais de nombreux coups de téléphone à donner. Je sortis ma carte de crédit téléphonique et allai m'enfermer dans la cabine. Je commençai par Buddy que je réussis à rejoindre à New York, dans la salle des ordinateurs de la Save Bank. Je lui résumai rapidement la situation, en omettant les détails sans importance, comme mon incursion indiscrète dans sa boîte aux lettres. Après m'avoir écouté en silence, il se permit ce simple commentaire:

— Ce Fenders était un idiot.

Il se renferma dans son mutisme pendant de longues minutes. Cette situation imprévue exigeait réflexion. Puis il reprit enfin:

— Le métier devient de plus en plus difficile. Nous devrons choisir nos clients avec plus de soins la prochaine fois. Les bonnes manières se perdent dans le milieu. Qui se serait permis d'agir ainsi il y a quelques années?

Je coupai court à ces rappels nostalgiques.

— J'approuve entièrement. Mais pour l'instant, je

suis en difficulté. Ce n'est pas la première fois que je me fais menacer en cours d'enquête, mais il ne m'était jamais arrivé de l'être par après, cela change toute la perspective.

— Que comptes-tu faire?

— Je vais les faire sauter.

Il y eut un long silence au bout du fil. Je savais à quoi il songeait. Si quelque chose dérapait, ces gens se retourneraient immanquablement contre la Data Security.

— Pourquoi pas une petite opération de chantage? Nous allons te donner un coup de main. Sitôt cette histoire de la Save Bank terminée, tout le monde se branche sur la Transit. Nous allons leur faire le même coup qu'ils se sont fait faire par leurs compétiteurs. Bien entendu, tu devras te mettre au vert pour quelque temps.

— Non, Buddy. Trop long et trop dangereux. Annie Mail m'a très bien expliqué la situation. Ces gens ont une manière de traiter les affaires qui n'est pas conventionnelle. Ils ne s'embarrassent d'aucune demi-mesure. Les faire chanter ne ferait que retarder l'échéance. Mon intention est de les faire sauter et de me faire oublier.

— Ils se douteront que le coup vient de toi.

— Et pourquoi pas de Fenders? Ou d'autres compétiteurs? Une compagnie qui engage un type comme Langley ne peut que se faire des ennemis dans tous les milieux. Je brouillerai la piste et ils ne remonteront jamais jusqu'à moi.

— Hum...et comment comptes-tu t'y prendre?

— Je vais leur piquer leur ordinateur.

— Expéditif.

Piquer un ordinateur était l'expression consacrée pour le piratage intégral, un pillage des mémoires de l'ordinateur de A à Z. Il s'agissait de copier tous les logiciels, banques de données et programmes sur une ou plusieurs bandes magnétiques. On obtenait ainsi une copie conforme de l'ordinateur que l'on pouvait insérer dans une machine du même type pour se retrouver avec un ordinateur jumeau.

— Tu connais suffisamment leurs procédures de protection pour te le permettre?

— Affirmatif.

— Alors tu as ma bénédiction, dit Buddy avec un soupir. Si ces gens reviennent contre nous, nous leur dirons que tu es disparu sans laisser de traces. Pour ajouter une touche de vérité, nous laisserons entendre que tu t'es tiré avec la totalité de la prime. Parce que, de toute façon, tu as l'intention de la garder, n'est-ce pas?

— Il y aura les frais, tu comprends.

— Ça va, garde le tout comme prime de séparation. Félicite Anthony de ma part, il a bien joué pour te tirer d'affaire. Nous allons te manquer par ici.

— Tu trouveras bien quelqu'un d'autre pour le tennis.

«Je veux dire, à la Save Bank», rectifia Buddy qui avait toujours eu les amitiés très dégagées. Mais quand même, il laissait aller cent cinquante mille dollars sans trop faire d'histoires.

— Je t'emprunte aussi du matériel. Je te l'enverrai par avion après utilisation.

— Pas de problème. Envoie-nous aussi de tes nouvelles de temps en temps.

— Explique le coup à Peters et donne une bise à Joy de ma part.

Je raccrochai puis composai un numéro à Boston. J'y recrutai deux techniciens de confiance qui ne s'encombraient pas de détail. Il fut décidé que je leur ferais parvenir une avance le lendemain et qu'ils s'envoleraient dès que je leur ferais signe.

J'entrai ensuite en contact avec la compagnie TANDEM, où je m'informai des endroits en Amérique où il était possible de louer un ordinateur du même type que celui de la Transit. On m'indiqua plusieurs villes, dont

Montréal. Mais je choisis Détroit, où était situé le siège social de la M.B.R., actionnaire associé à Fenders avant sa chute. J'étais décidé à faire porter le chapeau de mes opérations à la Hyest corp., société appartenant à la M.B.R., spécialisée dans les placements à risque dans le domaine de la haute technologie. Je tenais ces détails du rapport de Taylor et cette Hyest convenait parfaitement à mes dessins. Si les employeurs de Langley remontaient jusque-là, la M.B.R. serait un assez gros morceau pour les occuper pendant un bon bout de temps. Que les loups se mangent entre eux!

J'appelai Détroit où je m'identifiai comme étant de la Hyest corp.: je désirais louer un TANDEM TXP. On m'assura que l'ordinateur était bien relié à un réseau de télécommunication, ce qui m'était indispensable. Malgré le prix prohibitif, je louai l'ordinateur au complet. Je tenais à être seul à bord quand les opérations de piratage commenceraient. Les modalités de paiement furent rapidement réglées. Je ferais virer, dans la journée suivante, la somme couvrant les deux premières semaines de location.

Il s'agissait maintenant de mettre à profit les informations dont m'avait fait part Yves Adams sur les habitudes hôtelières d'Harvey. Je pris contact avec le service téléphonique de Toronto afin d'obtenir la liste des plus grosses compagnies de détectives privés de la ville. J'en choisis une qui semblait de taille moyenne et les appelai.

Je refusai cette fois de dévoiler une quelconque identité et donnai mes directives. Elles étaient simples. Il s'agissait de tenir l'hôtel Grass's sous surveillance afin de noter l'arrivée d'un monsieur Claude Harvey, président de la Monnaies Transit International. Je voulais également connaître le numéro de sa chambre.

Je refusai de donner un numéro de téléphone où il serait possible de me rejoindre. J'appellerais tous les deux jours. Il fut convenu que la somme correspondant à deux semaines de surveillance devait être virée à un compte bancaire dès le lendemain.

Il ne me restait plus qu'à donner un peu de vie à cette société Hyest que j'étais supposé représenter, et d'attendre les événements. Je revins à ma table. Anthony était déjà de retour. Il avait commandé un verre qu'il sirotait tout en regardant par la fenêtre.

— J'ai songé à te commander un verre, dit-il, mais j'ai présumé que peut-être tu en avais pour longtemps. As-tu rejoint Buddy?

— Oui, et il te félicite pour ta performance d'aujourd'hui.

— C'est le travail, dit-il avec modestie. Au fait, j'ai effectué le transbordement du matériel dans la nouvelle camionnette. J'ai abandonné l'ancienne pas loin d'ici et la compagnie de location a été prévenue de venir la récupérer. Il n'y aura aucun problème de ce côté. Elle a été louée sous une fausse identité et j'ai tout nettoyé. Qu'y a-t-il maintenant au programme?

— Nous nous quittons, Anthony. Je dois m'occuper de la Transit, puis je prendrai des vacances, au cas où... J'ai quand même l'impression que nous ne nous reverrons plus pour un bout de temps.

— Dommage, dit-il, mais je suppose que c'est la meilleure solution. Tu vas les amener au pied du mur?

— Quelque chose dans ce genre-là. Mais j'ai encore besoin d'un service. Il me faut d'abord une nouvelle identité, mais rien qui ait déjà été relié aux opérations de la Data. Peux-tu me trouver ça?

— Je possède un en-cas, dit Anthony. Jeu complet: permis de conduire, carte d'assurance sociale, tout y est. Te faut-il aussi un passeport?

— Seulement le nécessaire pour ouvrir un compte de banque commercial.

— Alors ça suffira. Autre chose?

— Il me faut du matériel, j'en ai parlé à Buddy. Je

renverrai le tout par avion.

— Tu n'as qu'à piger dans la camionnette.

— Bien. Je garde aussi ceci, dis-je en pointant la mallette installée contre le dossier d'une chaise.

Anthony tiqua. Buddy prêtait volontier du matériel, mais de mémoire d'homme, on ne l'avait jamais vu donner de l'argent. Surtout une telle somme. Il secoua son visage rond d'un air las.

— Je suis désolé, Alain, mais il va falloir que je vérifie. Ce sont les affaires, tu comprends?

— Pourquoi n'appelles-tu pas New York? Il est à la Save Bank, dans la salle des ordinateurs.

Il se leva, hésita et eut l'air soudainement très gêné. Il contempla un moment la mallette, puis soupira.

— Ne le prends pas mal, Alain, mais je vais amener la mallette avec moi dans la cabine.

— Je comprends très bien, Anthony. Ce sont les affaires.

Anthony sourit, saisit la mallette et se dirigea vers le téléphone. Je me tournai du côté de la fenêtre pour y admirer le décor. La lumière du jour baissait rapidement mais les couleurs vives qui habillaient les passants donnaient de l'éclat au crépuscule envahissant. La douceur de l'air annonçait l'été et la rue était bondée de promeneurs. Nombreux étaient ceux qui faisaient du lèche-vitrine ou s'arrêtaient simplement à un café. La terrasse d'en face était remplie de gens sympathiques et diserts. Tout paraissait facile et je me mis à les envier.

Pour la première fois depuis le départ de Chris, je me sentais vraiment bien. J'étais condamné, pour des raisons de sécurité, à abandonner mon travail pour plusieurs mois et plutôt que de m'angoisser, cette perspective me réjouissait. Je me mis à rêver à l'Europe, des canaux de Venise, des terrasses de Paris et des plages d'Espagne ou de Grèce.

Anthony revint, s'assit et déposa la mallette sur la

table devant moi.

— Voici ton dû, dit-il.

— Pas tout à fait, il y a vingt-cinq mille dollars pour toi. Un remerciement pour m'avoir tiré d'affaire.

— Je suppose que je devrais refuser, dit Anthony en souriant, mais je vais les accepter quand même. Merci, Alain.

— Pas de fausse modestie, tu les as amplement mérités.

Je tournai la mallette dans sa direction, contre le mur, et l'ouvris à moitié.

— Emplis tes poches, Anthony.

Il s'empara d'un journal sur le banc d'à côté, le déplia, y inséra quelques liasses, le replia et le glissa dans sa poche de veston. Puis il rejeta le reste du journal sur la table.

Je pris la mallette.

— C'est ici que nous nous quittons. As-tu mes nouveaux papiers d'identité?

Il retira une petite enveloppe de plastique de sa poche revolver et me la tendit.

— Ils sont au nom de John Haydin, dit-il. Cela t'ira comme un gant.

Nous sommes sortis pour nous diriger vers la camionnette. Anthony ouvrit la porte latérale et je montai afin de faire mon choix. Je ne pris que l'analyseur de lignes et une valise-outil. Je déposai les valises de métal sur le trottoir et fis signe à un taxi qui s'approchait. J'installai le matériel sur le siège arrière et montai à l'avant.

— Bonne chance, dit Anthony, envoie-nous de tes nouvelles.

Je donnai une dernière poignée de main au travers de la vitre ouverte. «Un petit hôtel pas cher», dis-je au chauffeur.

Tout ce que l'on peut dire de moche sur Détroit est exact. Ses usines sales avec leurs hautes cheminées crachant sans cesse leur pollution dans le ciel, ses rues défoncées peuplées d'adolescents bagarreurs, ses larges avenues où s'alignent des édifices de pierres crasseux et où les automobilistes semblent avoir déclaré la guerre aux piétons, ses terrains vagues emplis de détritus ceinturant la ville. Aucun touriste sain d'esprit ne songerait à y débarquer.

Ce qu'on dit des habitants de Détroit est tout aussi vrai. Ce sont les gens les plus accueillants que l'on puisse imaginer, peut-être parce qu'ils considèrent le touriste comme une bête curieuse. Et ils sont tous aussi fanatiques du blues qu'on le prétend. Les *blues bands* sont partout, des clubs luxueux aux caves minables maquillées en salles de concert, en passant par les coins de rue où certains improvisent des concerts endiablés sur des poubelles renversées. Les rares fois où j'avais travaillé à Détroit, je m'étais toujours débrouillé pour y demeurer quelques jours de plus.

Je ne débarquais pas à Détroit pour le blues, mais pour y ouvrir un compte bancaire. Je pris un taxi à l'aéroport et me fis conduire au centre-ville. C'était un cabriolet branlant et défoncé, comme on ne pouvait en trouver que dans la capitale de l'automobile. J'entrai dans la première banque venue.

Une employée charmante et empressée m'accueillit au comptoir et je demandai à ouvrir un compte commercial. Je déclinai l'identité fournie par Anthony comme étant celle du responsable du compte et donnai la Hyest corp. comme raison sociale. Le nom du trésorier, que j'avais déniché dans un prospectus de la compagnie, fut inscrit comme mandataire du compte. Il viendrait signer les documents très bientôt, assurai-je, lui-même étant présentement en voyage d'affaires. Je déposai soixante-quinze mille dollars en liquide, ce qui balaya les dernières hésitations.

Je fis virer immédiatement les sommes convenues aux deux techniciens, à la compagie de location d'ordinateurs, ainsi qu'à l'agence de détectives. Je louai ensuite un coffret dans lequel je déposai le restant de ma prime. Je terminai ma matinée en effectuant diverses emplettes: un ordinateur portatif et des vêtements de rechange afin de remplacer ceux que j'avais dû abandonner à mon hôtel de Montréal. J'occupai les jours suivants à téléphoner deux fois par jour, d'une cabine publique, à l'agence de détectives et à travailler sur le TANDEM de Détroit par l'entremise du micro-ordinateur branché sur mon téléphone. Pour ce qui est de mes nuits, je les utilisais à hanter les bars de blues.

Les programmes de télécommunication nécessaires à mon opération de piratage furent terminés en quatre jours. Soulagé, je ne songeai plus qu'à dénicher les bars les plus louches, seuls endroits, semblait-il, où pouvaient vraiment fleurir les voix éraillées des *bluesmen*.. Le sixième soir, je fus assailli à la sortie d'un bar et je perdis quarante dollars et une montre au profit de jeunes en basket. Ils ne me dépouillèrent ni de mon veston ni de mes chaussures, m'expliquèrent-ils, parce que j'avais payé à boire à l'orchestre. Je remerciai et rentrai à pied à l'hôtel.

Le lendemain, je fis l'acquisition d'une nouvelle montre et changeai de quartier pour mes randonnées nocturnes. La neuvième journée, l'agence de détectives torontoise m'informa des résultats positifs de leur surveillance. Claude Harvey était descendu le matin même au Grass's Hotel; il occupait la chambre 716 qu'il avait réservée pour trois jours.

Je mis fin à l'opération de surveillance et contactai les techniciens pour leur donner mes instructions. Ils devaient s'envoler sur le premier avion en direction de

Toronto et descendre au Grass's Hotel. Après avoir pris possession de leur chambre, ils devaient localiser les boîtes de contrôle du standard téléphonique de l'hôtel et s'en assurer les voies d'accès. Je les contacterais dans la soirée pour de nouvelles instructions.

Je me rendis ensuite à la banque où je repris possession de la mallette, puis à l'aéroport où je pris l'avion, en fin d'après-midi, pour Toronto. Je descendis dans un hôtel discret où je me fis enregistrer sous le nom de Haydin. Je demandai qu'on installe deux téléphones supplémentaires dans ma chambre, puis allai avaler un steak comme on n'en fait qu'au *Mike's steak house.*

Plus tard, je téléphonai aux techniciens, qui attendaient au Grass's.

— Ici Ludder, me répondit-on.

— Bonsoir! Haydin à l'appareil. Avez-vous localisé le contrôle téléphonique?

— Dans la cave, monsieur. Une serrure en interdit l'accès mais nous l'avons facilement crochetée. Les composantes du contrôle téléphonique sont de type standard et facilement modifiables.

Exactement ce que je désirais entendre. Pour mener à bien mon opération contre la Monnaies Transit, il me fallait le code d'accès maître qu'utilisait quelquefois Harvey. La méthode la plus simple de mettre la main sur les codes d'accès d'un ordinateur consiste à taper les lignes de transmission. Il suffit d'enregistrer toutes les communications entre l'ordinateur et l'usager à l'aide d'un micro-ordinateur ou d'un analyseur de lignes, puis d'isoler le code d'accès en étudiant ces enregistrements.

— Avez-vous un analyseur de lignes avec vous?

— Un SPEARS-1000, monsieur.

— Bonne machine. Alors voilà: vous trafiquez le standard téléphonique afin de faire passer toutes les communications du 716 sur votre téléphone. Sur ledit téléphone sera branché l'analyseur avec lequel vous enregistrerez sur bandes toutes les communications. Ceci jusqu'à ce que je vous demande d'arrêter. C'est compris?

— Aucun problème.

— Excellent. Voici maintenant comment nous allons procéder pour les échanges. Connaissez-vous le *Mike's steak house?*

— Non, monsieur.

— Vous le trouverez facilement, c'est tout près de votre hôtel. Vous y apportez les bandes de la veille que vous avez préalablement déposées dans une enveloppe. Vous vous rendez à la salle des toilettes pour hommes et vous glissez l'enveloppe derrière la chasse d'eau. S'y trouvera déjà une seconde enveloppe contenant la prime convenue pour chacune de vos journées de travail. Nous effectuerons ce transfert tous les jours, à dix-sept heures. Nous commençons demain. Des questions?

— Tout est très clair.

— Alors, bonne chance.

Mon plan fonctionna sans anicroche. Les techniciens me livraient les bandes aux toilettes chez *Mike's* et ils touchaient leur prime. La cohue de dix-sept heures rendait l'identification presque impossible et je n'étais qu'un client régulier parmi d'autres.

L'étude des bandes s'avéra difficile. Harvey n'utilisait d'abord que des codes d'accès mineurs qui ne m'étaient d'aucune utilité et il effectuait aussi de nombreux appels téléphoniques, ce qui brouillait les données. Je reconnus pourtant le code maître sur la bande de la troisième journée. Harvey l'avait utilisé pour consulter des données très confidentielles.

Je vérifiai aussitôt. Je branchai mon micro-ordinateur sur l'un de mes trois téléphones, composai le numéro de l'ordinateur de la Transit et insérai le code d'accès. Je reconnus aussitôt le potentiel d'action du code maître. Je coupai immédiatement la communication et me servis un café amplement mérité.

J'étais prêt à passer à la seconde phase de l'opération.

Je contactai d'abord les deux techniciens afin d'annuler l'écoute en cours et fixer un dernier rendez-vous. Ceux-ci se présentèrent aux toilettes chez *Mike's*-dans l'après-midi pour toucher leur dernière enveloppe. Leur travail m'avait coûté trente mille dollars mais il en valait largement le prix. Si l'on comptait les quarante mille dollars pour la location de l'ordinateur, ainsi que les cinq mille pour l'agence de détectives, je m'en tirais à bon compte. Ces soixante-quinze mille dollars ne représentaient qu'une fraction de ce que cela m'aurait coûté si Yves Adams ne m'avait pas fait part de cette imprudence d'Harvey.

Je n'aurais jamais pu intercepter ce code maître, par exemple, si Harvey ne l'avait utilisé qu'à l'intérieur de l'édifice de la Transit. J'aurais alors dû me rabattre sur un code d'accès mineur, piraté sur la ligne d'un client, et effectuer des prouesses techniques pour percer le système de sécurité de l'ordinateur et ainsi accéder à des informations normalement refusées à ce code d'accès mineur. J'aurais difficilement pu y parvenir seul, en un temps raisonnable, et la location des compétences nécessaires coûtent très cher. La discrétion encore davantage.

. Mais, une fois en possession de ce code d'accès maître, je pouvais déjouer toutes les procédures de protection de l'ordinateur.

Je commençai l'infiltration dès le lendemain, vers la fin de la soirée. C'était un dimanche. Personne à la Transit n'utilisait l'ordinateur pendant la nuit du dimanche et cela réduisait considérablement les risques de détection d'activités suspectes sur la machine.

Je branchai mon ordinateur portatif sur deux des trois téléphones de la chambre. L'un serait en communication avec l'ordinateur de la Transit, le second avec celui de Détroit. Le micro-ordinateur servirait de relais. La direction de l'hôtel avait été avertie de s'attendre à une note téléphonique plutôt salée. J'avais versé deux mille dollars en acompte.

J'appelai l'opérateur de Détroit afin de faire monter une première bande magnétique sur le dérouleur de bandes et pour le prévenir de se tenir prêt à en monter d'autres au cours de la nuit, sur requête de l'ordinateur. Je m'attendais à sept bandes, spécifiai-je, étalées sur une durée de six heures.

Je composai ensuite les numéros de téléphone des deux ordinateurs et vérifiai la communication. Le micro-ordinateur était bien en contact avec les deux TANDEM. J'activai le programme de réception à l'ordinateur de Détroit, ensuite le programme d'envoi de transmission à Montréal. L'ordinateur de la Transit commença alors à déverser le contenu de toutes ses mémoires en direction de Détroit, où elles étaient enregistrées sur bandes magnétiques.

Ce travail demanda sept bandes, comme prévu, mais s'écoula sur un peu plus de six heures. Six heures quarante, pour être précis, mais l'opération fut terminée avant les sept heures du matin, heure où les opérateurs retournent au travail le lundi matin. J'effaçai le programme de transmission des mémoires de l'ordinateur de la Transit, ainsi que toute trace que celui-ci aurait pu laisser dans le livre de bord de la machine. Puis je coupai la communication.

Il me fallait maintenant vérifier au plus vite les résultats de l'infiltration. Si celle-ci avait échoué et s'il prenait soudainement envie à Harvey de changer le code maître, j'aurais des difficultés financières à monter une autre opération. J'appelai Détroit.

— Centre informatique AMAX, Baxter à l'appareil.

— Ici Haydin, de la Hyest corp. Aucun problème avec les bandes?

— Aucun, monsieur.

— Excellent. Alors voici le topo: vous effacez toutes les mémoires de votre ordinateur et vous les remplacez par l'information contenue sur ces bandes... Vous me suivez?

— Je détruis toutes les mémoires de notre ordinateur?

— Exact, monsieur Baxter, amnésie totale. Ensuite, vous transférez tout le contenu de ces bandes dans les mémoires de votre ordinateur.

— C'est que..

— Que quoi, monsieur Baxter?

— Ce n'est absolument pas dans nos procédures normales. Ce que vous nous demandez est dangereux pour la machine.

Baxter avait raison. Une telle opération doit être menée avec un certain doigté, et elle était assez inhabituelle. S'il y a erreur, l'ordinateur peut se retrouver sur le dos pendant quelques jours avant que les techniciens ne puissent le remettre en état opérationnel.

— Je comprends, monsieur Baxter, passez-moi votre patron.

— C'est que, il est six heures du matin, monsieur.

— Alors, appelez-le-moi à son domicile.

— Il sera ici à neuf heures précises, il peut vous rappeler.

— Savez-vous combien je paie pour votre ordinateur, monsieur Baxter?

— Eh bien, monsieur...

— Prenez votre salaire d'une journée et multipliez-le par mille. Ceci pour deux malheureuses semaines. Vous me suivez?

— Cela fait très cher la minute, monsieur.

— Alors, vous me passez ce monsieur?

— Monsieur Malcolm, monsieur, immédiatement.

Il y eut quelques cliquetis, un long silence, puis une voix endormie vint en ligne.

— Malcolm à l'appareil. Que puis-je pour vous, monsieur Haydin?

— Je veux un ordinateur aux mémoires effacées dans la demi-heure qui suit. Toutes les mémoires vierges, comme un petit ordinateur qui vient de naître. Vous pouvez m'arranger ça?

— Euh oui...je suppose.

— Dans trente minutes?

— Eh bien, il faut d'abord que je me rende à la compagnie, qu'ensuite j'efface... Donnez-moi deux heures.

— Et combien pour lui faire avaler sept bandes?

— Je vous fais ça tout rond pour deux heures cet après-midi, monsieur Haydin.

— Excellent, j'achète.

Je raccrochai et allai profiter de quelques heures de sommeil. Je m'endormis d'un coup, très satisfait de ma journée. Je me levai vers une heure de l'après-midi, pris une douche, avalai un déjeuner rapide, et appelai New York.

J'avais un conseil à demander à Henry Kolberg, spécialiste fiscal de grande réputation avec lequel j'avais déjà travaillé dans le passé. La voix de fausset de ce petit homme bedonnant résonna dans le téléphone.

— Alain! Quel plaisir de t'entendre!

— Bonjour, Henry, comment vont les affaires?

— Excellentes, comme toujours. Tant qu'il existera des impôts, il y aura toujours des gens pour vouloir les éviter. Que puis-je pour toi?

— J'aurais besoin d'un renseignement, Henry.

— À ta disposition.

— Je suis présentement à la recherche d'un enquêteur fiscal travaillant pour le gouvernement canadien. Un type particulièrement méchant et pourvu d'une certaine expérience en informatique.

— Type vraiment teigneux? J'ai exactement ce qu'il

te faut. Mais pourrais-je savoir pourquoi?

— Je suis sur un coup particulièrement délicat. Un de mes clients a décidé de régler une fois pour toutes le problème que lui causait la concurrence.

— Tu oeuvres dans l'espionnage industriel, maintenant?

— C'est une longue histoire, Henry. Disons simplement que je franchis la clôture pour un temps limité.

— Bien sûr, excuse mon indiscrétion. Je vais te référer à un type tellement bilieux que s'il se décidait à émigrer aux U.S.A., le nombre de mes clients augmenterait en flèche.

— La perle rare. Son nom et ses coordonnées?

Je pris note.

— Et comment présenterais-tu la chose, Henry?

— Inutile de t'identifier, naturellement. Présente ça exactement comme tu me l'as expliqué. Pas la peine d'y ajouter des explications moralistes. Tu es une compagnie qui désire écarter un concurrent et tu y as mis les moyens. Cela fera très bonne impression, très «libre entreprise».

— Merci bien, Henry. À un de ces jours.

Il me fallait maintenant vérifier si l'infiltration avait bien fonctionné. Je me rebranchai sur Détroit et commençai à explorer les banques de données de la Transit sur l'ordinateur jumeau. Tout y était, des données confidentielles aux programmes compromettants. Il ne manquait que les noms des clients, mais une perquisition en règle dans les locaux de la Transit permettrait d'y mettre la main.

J'appelai l'opérateur à Détroit afin de lui donner mes dernières instructions. Il s'agissait d'envoyer les sept bandes par la poste prioritaire au fonctionnaire d'Ottawa dont Henry m'avait fourni les coordonnées. De mon côté, je rédigeai une courte lettre expliquant la situation et les principales caractéristiques du système de sécurité, et j'indiquai le code d'accès maître.

Une fois ce document envoyé au zélé fonctionnaire, je me retrouvais en vacances. Je ne donnais pas six mois à la Transit, la durée idéale pour un voyage en Europe.

Épilogue

J e rencontrai Buddy deux ans plus tard, à un congrès sur la sécurité informatique à Dallas. C'était à la sortie d'une conférence particulièrement assommante, donnée par Al Passey. Il devenait évident que l'éminent professeur abandonnerait bientôt la consultation active pour se consacrer à l'enseignement. Ce type de discours où il avait tenté de brosser le profil psychologique du fraudeur impressionnerait peut-être une galerie de travailleurs sociaux, mais jamais un conseil d'administration aux abois.

Ce fut Annie qui le distingua parmi la foule qui fuyait l'amphithéâtre en direction du bar. Nous avons coupé au travers d'une cohue de vestons aux revers épinglés de petits cartons, et sommes arrivés à sa hauteur. Il chapitrait, stylo à la main, un interlocuteur identifié comme consultant à Chicago.

— Buddy!...

Il se retourna d'un bloc.

— Alain! Quelle surprise! Tu refais surface?

— Depuis bientôt un an et demi, dis-je en lui rendant sa poignée de main, mais j'opère surtout au Canada.

— Oui, dit-il, j'en ai entendu parler.

Je présentai Annie.

— Annie Mail, mon associée.

Elle était charmante dans son ensemble gris perle très sérieux. Seule touche un peu incongrue: une petite voiture rose retenait les pans de sa blouse sur l'épaule.

— Heureux de vous rencontrer, dit Buddy. Si on allait prendre un verre?

Il laissa son interlocuteur au milieu du hall et nous précéda dans le bar. Nous nous sommes attablés contre une fenêtre donnant sur une avenue où l'on apercevait de longues filées de voitures prises dans un embouteillage.

— Alors, comment vont les affaires? demanda Buddy.

— Excellentes, dis-je. Ce n'est pas comparable à ce qu'on retrouve aux États-Unis, mais nous sommes en train de nous construire une réputation.

— On m'a parlé d'un troisième associé, dit Buddy, il ne participe pas à la conférence?

— Il est en voyage de noces, dit Annie. Il a rencontré une excellente optométriste...ils feront un couple très uni.

— Très heureux, dit Buddy en faisant signe au serveur.

Celui-ci vint prendre la commande et Buddy fit tout mettre sur son compte.

— Que s'est-il finalement passé à la Transit? Personne n'est revenu contre nous, à la Data Security.

— L'édifice a brûlé, quatre mois après mon départ. Un incendie inexplicable a ravagé le système informatique ainsi que toutes les archives magnétiques. De curieuses négligences ont eu lieu ce jour-là et ce fut une perte totale. Les assurances ont, bien entendu, payé. La Transit a fermé officiellement ses portes deux mois plus tard, semble-t-il, à cause d'une querelle d'actionnaires. Il semblerait qu'elle était alors sous enquête du ministère canadien du Revenu. De toute façon, je n'en ai plus jamais entendu parler.

Buddy hocha simplement la tête et nous avons

changé de sujet. Nous avons parlé du deuxième gosse que Peters attendait, du mariage de Joy qui avait été un succès, d'Eddy qui terminait ses classes avec Peters, pour finir par un large tour d'horizon du marché qui semblait en pleine expansion.

— Je ne peux répondre à la demande, dit Buddy, je manque de personnel qualifié. Je te présenterai quelques clients sur la côte est dont je ne puis m'occuper.

Il s'empressa d'ajouter que je n'aurais qu'à lui verser des droits de quinze pour cent sur les contrats qu'il pourrait m'obtenir de cette façon.

— Une misère, quand on songe aux frais de déplacement que cela t'épargne pour dénicher d'aussi bons clients, conclut-il.

Le marché fut scellé d'une poignée de main et Buddy nous quitta, toujours aussi pressé que d'habitude. Ensuite, Annie et moi sommes allés passer une excellente soirée dans les cimetières d'autos autour de Dallas.

Fin

Montréal, avril 1985

CET OUVRAGE
COMPOSÉ EN SOUVENIR LÉGER CORPS 12 SUR 14
A ÉTÉ ACHEVÉ D'IMPRIMER
PAR LES TRAVAILLEUSES ET TRAVAILLEURS DES PRESSES
DES ATELIERS GRAPHIQUES MARC VEILLEUX
À CAP-SAINT-IGNACE
POUR LE COMPTE DE
VLB ÉDITEUR.

IMPRIMÉ AU QUÉBEC (CANADA)